ann

Neverending Stories

Kurzgeschichten

Über dieses Buch:

„Neverending Stories" ist nach „Ending Stories" (2016) Swen Artmanns zweiter Kurzgeschichten-Band. Er beinhaltet Geschichten, die allesamt im Zeitraum zwischen 2016 und 2021 geschrieben wurden. Und wieder einmal geht es um Situationen, die ihren Ausgangspunkt im ganz alltäglichen Leben haben, die dann jedoch zumeist ganz und gar nicht alltäglich enden. Wie auch in „Ending Stories" sind die Geschichten dieses Buches wieder einmal spannend, emotional und überraschend zugleich. Und wieder einmal sind es in den Stories nur Stunden, Minuten oder gar einzelne Sekunden, die ganze Leben für immer verändern – oder beenden.

Über den Autor:

Swen Artmann, geb. 1972, legt mit „Neverending Stories" bereits sein sechstes eigenes Buch vor, während viele seiner Kurzgeschichten zudem in zahlreichen Anthologien enthalten sind.
Nach der tragikomischen Roman-Trilogie über „Karl Bauer" (2010 – 2012) veröffentlichte er 2014 den derb humorvollen Episodenroman „Glaubt mir, ich bin ein Lügner!" und schließlich 2016 den Kurzgeschichten-Band „Ending Stories".

Viele seiner Short-Stories sind preisprämiert oder wurden von verschiedenen Zeitungen und Radiosendern veröffentlicht. Zuletzt schaffte er es im Herbst 2020 mit seiner Geschichte „Die silberne Katze", die auch in „Neverending Stories" enthalten ist, nach einem öffentlichen Leservoting in ein Charity-Buch von Sebastian Fitzek, Deutschlands erfolgreichstem Thriller-Autor.
Swen Artmann lebt mit seiner Familie in Billerbeck / NRW.

Swen Artmann

Neverending Stories

BoD - Books on Demand, Norderstedt

Infos:

www.swen-artmann.de

Oder folgen Sie dem Autor auf
Instagram oder Facebook.

Swen Artmann, Billerbeck.
Coverbild: Bryan Marshall, Irland.
Covergestaltung: Christian Peitz, Lüdinghausen.
Lektorat: Brünen, Bußkamp & Kosakowski, Steinfurt.
Herstellung und Verlag:
BoD – Books on Demand, Norderstedt.

ISBN 978-3-753-49957-4

“Eine Geschichte sei unterhaltend, so lange wir sie lesen, befriedigend, wenn sie zu Ende ist, und hinterlasse uns einen stillen Reiz, weiter nachzudenken.“
(Johann Wolfgang von Goethe)

„Jede Geschichte, die ich erschaffe, erschafft mich. Ich schreibe, um mich selbst zu erschaffen.“
(Octavia E. Butler)

„Eine gute Geschichte stirbt nie.“
(Roberta Williams)

“There is no greater agony than bearing an untold story inside you.”
(Maya Angelou)

„Geschichten schreiben ist eine Art, sich das Vergangene vom Hals zu schaffen.“
(Johann Wolfgang von Goethe)

„No tears in the writer, no tears in the reader. No surprise for the writer, no surprise for the reader.”
(Robert Frost)

“Ich schreibe so lange, wie der Leser davon überzeugt ist, einen erstklassigen Wahnsinnigen vor sich zu haben.“
(Stephen King)

Für meine Familie

und für die Menschen, die während der letzten Jahre
und Jahrzehnte immer wieder neu
in diese hineingewachsen
sind.

Und für Damian Kosakowski.

Möge dein Stern für alle Zeiten über uns strahlen,
scheinen und … wachen.

Wir werden dich niemals vergessen!!!

Roadtrip

Selbstsicher drehte ich den Kopf zur Seite und betrachtete den Mann, der ängstlich neben mir auf dem Beifahrersitz kauerte.
Als ich ihn vor wenigen Minuten am Straßenrand hatte stehen sehen, mit dem nach oben gerichteten Daumen und dem nach unten gerichteten Blick, dort an der Autobahnauffahrt, war ich zunächst gewillt gewesen, das Gaspedal komplett durchzutreten.

Ich wollte diesen ungepflegt und nervös wirkenden Typen definitiv nicht auf meinen Ledersitzen, in meinem Auto, in meinem Tag, in meinem Leben haben.
Und außerdem hatte ich sowieso keine Zeit für Tramper, da ich bereits viel zu spät dran war.
Dennoch vollzog ich eine Sekunde später beinahe eine Vollbremsung, um ihn doch noch einsteigen zu lassen.

Irgendwie kam mir dieser Kerl bekannt vor. Ich wusste nicht, warum. Aber es war so.
Hatte ich sein Bild in der Zeitung gesehen, im Internet, in den Nachrichten?
Ich wusste nur, dass er einsam und verschüchtert auf mich gewirkt hatte, wie er da allein und vom Regen durchnässt an der Straße gestanden hatte.
Irgendwie klein und verloren.
Irgendwie traurig und doch so unfassbar präsent.

Er roch unangenehm.
Oder besser gesagt: Er stank!
Nach Schweiß, Kot, Urin, Nikotin, Alkohol und seinem ungewaschenen Körper.

Und nach Angst. Nach Nervosität. Nach Selbstzweifel. Gott, wie sehr hasste ich diese Gerüche.

Seine Kleidung war verschmutzt und fadenscheinig, und bis auf ein geflüstertes „Danke“ hatte er noch kein Wort von sich gegeben.

„Wo darf ich Sie absetzen?“, fragte ich nach 30 Minuten schweigsamer Fahrt. „Ich muss die übernächste Ausfahrt raus.“
Er sah mich an, und in seinen Augen brannten die Verzweiflung, die Panik, die Depressionen.
„Haben Sie einen wichtigen Termin?“
„Ja!“, antwortete ich wahrheitsgemäß. „Vielleicht sogar den wichtigsten in meinem ganzen Leben.“

Der Mann nickte verstehend und musterte mich mit seinen geröteten, wahrscheinlich vom Weinen verquollenen Augen. Meinen teuren Anzug, das weiße Hemd, die getönten Haare, den goldenen Ehering, das blitzsaubere Armaturenbrett des neuen Teslas.
„Dann lassen Sie mich raus, wann immer es Ihnen beliebt. Ich glaube nicht, dass Sie wollen, dass man uns zusammen sieht.“
Ich stimmte ihm dankbar zu und stoppte den Wagen an der nächsten Raststätte.
Der heruntergekommene Tramper öffnete die Beifahrertür und sah mich noch einmal an.

„Danke, dass Sie vorhin angehalten und mich mitgenommen haben. Die meisten Menschen hätten das wohl nicht getan. Vor allem nicht vor einem wichtigen Termin.

Da braucht man so einen Begleiter wie mich nun wirklich nicht."
Er schlug die Wagentür zu und schlurfte mit hängenden Schultern über den graunassen Parkplatz der Autobahnraststätte.

Ich gab Gas, beschleunigte den Tesla, dachte im Geiste an den Vortrag, den ich in weniger als 15 Minuten vor dem Auditorium halten würde, bremste abrupt ab, schaltete in den Rückwärtsgang und fuhr zurück.
Denn mir war endlich eingefallen, woher ich den Mann, seine Gerüche und seine Gefühle kannte.

„Steig wieder ein!", rief ich dem Tramper zu.
Dieser nickte kaum wahrnehmbar und ließ sich erneut auf dem Ledersitz nieder.
„Ganz sicher?", fragte er vorsichtig.
„Ganz sicher!", antwortete ich, während ich ihn ansah und dabei in mein eigenes Gesicht schaute. „Natürlich brauche ich dich gerade heute nicht an meiner Seite. Aber was soll`s? Es ist, wie es ist."

Und während ich anfuhr, mit meinem schwachen Begleiter auf dem Beifahrersitz, spürte ich, wie die Angst, die Nervosität, der Gestank und die Zweifel zurück in mein Leben kamen.

Doch ich lächelte.
Denn ich war wieder komplett.
Und ich war endlich wieder ich.

Jetzt wird`s aber Zeit

Der alte mechanische Blechwecker rappelte, klingelte und rumorte, als hätte er es sich zur Aufgabe gemacht, sämtliche Einwohner der Hauptstadt aus dem Schlaf zu reißen.
Der Mann, der seinen völlig kahlrasierten Kopf keine dreißig Zentimeter von dem altertümlich anmutenden Störenfried entfernt aufs Kissen gebettet hatte, fuhr erst zusammen und dann in die Höhe. Anschließend griff er nach der scheppernden Höllenmaschine und beendete das ohrenbetäubende Tohuwabohu, indem er den kleinen Hammer, der unablässig links und rechts gegen die Glöckchen stieß, mit dem dafür vorgesehenen Feststeller zur Untätigkeit verdonnerte. Danach sah er auf das Zifferblatt, fragte sich, ob die angezeigte Uhrzeit tatsächlich der Realität entsprechen konnte, warf zur Sicherheit noch einmal einen Blick auf den auf dem Nachttisch liegenden Chronografen und atmete tief durch.

Verdammt, jetzt wird`s aber Zeit, dachte er in Anbetracht dessen, was an diesem Tag noch alles vor ihm lag.

***

Er stand auf und stürmte ins Bad. Zwanzig Minuten später eilte er bereits frisch geduscht und rasiert durchs Treppenhaus, rempelte im Erdgeschoss beinahe einen jungen Mann an, von dem er zufällig wusste, dass dieser bei der Berliner Berufsfeuerwehr war, riss die Haustür auf, rannte über den Vorplatz und sprang in seinen an der Straße geparkten schwarzen Pajero. Während er sich in den Berufsverkehr einfädelte, sah er immer wieder auf die Uhr.

Verdammt, jetzt wird`s aber Zeit.

***

Am Wittenbergplatz parkte er den alten Geländewagen in zweiter Reihe vor dem gigantischsten und berühmtesten Kaufhaus der Stadt. Er hetzte ins Innere des Konsumtempels, bahnte sich seinen Weg durch die Gänge, Abteilungen und Etagen, vorbei an Verkaufsständen, Auslagen, Kleiderständern und Menschenschlangen, erreichte schwitzend und schwer atmend seinen Zielort und griff der alten Dame, die gerade in diesem Augenblick am oberen Ende der Rolltreppe ins Straucheln geraten war, beherzt an den Kragen ihres teuren Wollmantels. Er zog sie sanft aber bestimmt zurück, und als die Frau realisierte, was da gerade mit ihr geschehen war, befand sich der Mann auch schon wieder in einer Traube von Suchenden, Eilenden und Nichtfindenden.

Gerade noch rechtzeitig, dachte der Mann. Und er lächelte. Doch dann sah er auf seinen Chronografen.
Verdammt, jetzt wird`s aber Zeit.

***

Draußen vor dem Kaufhaus stieg er keuchend in seinen Mitsubishi – kurz bevor die wild winkende Politesse ihn mit ihrem Bleistift, ihrem Schreibblock und ihrer aufgebrachten Miene erreichte. Er winkte ihr freundlich zu, und als die uniformierte Mitarbeiterin des Ordnungsamtes das Lächeln des Mannes sah, erhellten und entspannten sich ihre Gesichtszüge, sodass sie Block und Bleistift in die Tasche zurücksteckte.

Gerade noch rechtzeitig.

Er raste durch die Stadt, die im Armaturenbrett eingebaute Uhr vor sich und zugleich im Nacken. Schweißtropfen standen und bewegten sich auf seiner Stirn, seine rechte Hand lag leicht zitternd auf dem abgegriffenen Schaltknüppel.
Noch drei Minuten.
Er fragte sich einige Sekunden lang, warum er eigentlich so nervös war. Schließlich wusste er doch genau, was das Leben in den nächsten Stunden mit ihm vorhatte – und was er mit dem Leben vorhatte.

***

Vor einer Sparkasse am Kurfürstendamm hielt er den Wagen. Diesmal ordnungsgemäß in einer Parklücke, direkt hinter einem dunklen Van mit getönten Scheiben, der da mit laufendem Motor auf die Dinge wartete, die da kommen sollten.
Er betrat das riesige Foyer, suchte mit seinen Augen die Umgebung ab, scannte alle Bankkunden im Geiste wie mit einem Lasergerät und bewegte sich schließlich auf eine Gruppe von vier Männern zu, die hinter einer Säule standen und sich verstohlen nach allen Seiten hin umblickten. Er trat an die Verstohlenen heran, legte dem größten von ihnen eine Hand auf den Oberarm und flüsterte ruhig und gelassen:

„Nicht heute, mein Freund. In und um die Bank herum wimmelt es nur so von Polizei. Die haben euch auf dem Kieker."
Und während die Vier ihre Gesichtsmasken und Waffen verunsichert dort ließen, wo sie waren, und langsam und unauffällig ihren Weg zu dem wartenden Van einschlugen, hob der Mann an einem der Schalter das gesamte Geld ab, was sich auf seinen Konten befand – und was er während seines gesamten Lebens angespart hatte.

Gerade noch rechtzeitig, dachte er, als er wieder im Wagen saß und bemerkte, dass der dunkle Van vor ihm verschwunden war. Und er lächelte. Doch dann sah der Mann auf seine Armbanduhr.
Verdammt, jetzt wird`s aber Zeit.

***

Als er den Berliner Hauptbahnhof erreichte, war es kurz vor zehn. Obwohl er genau wusste, wohin ihn sein Weg führen würde, fragte er am Infoschalter eine fahrig wirkende Angestellte nach den Toiletten. Nachdem diese ihm Auskunft erteilt hatte, nahm er völlig unerwartet ihre rechte Hand, drückte sie sanft, sah ihr in die sorgenvollen, völlig übermüdeten Augen und meinte kaum hörbar:
„Ihrer Tochter geht es gut."
Die Frau wirkte verunsichert und senkte den Blick auf ihre abgekauten Fingernägel.
„Aber nun sind es schon fast elf Monate, dass sie …"
Der Mann ließ die Hand der Frau los, strich ihr wie selbstverständlich eine Haarsträhne aus dem Gesicht und erwiderte freundlich:

„Machen Sie sich keine Sorgen. Sie wird sich heute Abend bei Ihnen melden. Versprochen!“
Er ließ die überrascht und zugleich ungläubig wirkende Angestellte zurück und rannte zu den Bahnhofstoiletten. Er stürmte in den Männerbereich, stieß mehrere betrunkene Obdachlose, Touristen, Stricher und Freier beiseite, ignorierte den beißenden Gestank von Desinfektionsmitteln, Urin und Erbrochenem, trat mit Wucht eine der sieben verriegelten Türen auf und zog dem Jungen, der auf der verdreckten Kloschüssel saß, genau in dem Augenblick die Nadel aus dem Arm, als dieser sich die falsch dosierte und viel zu großzügig bemessene Menge Glückseligkeit in die Vene pumpen wollte.
Als er das Bahnhofsgebäude wenige Minuten später wieder verließ, strahlte die Sonne.

Gerade noch rechtzeitig, dachte der Mann. Und er lächelte. Doch dann sah er auf die Uhr.
Verdammt, jetzt wird`s aber Zeit.

***

Er sprintete, flog die Treppenstufen des düsteren Plattenbaus in der Leipziger Straße nach oben. Überall Kinderwagen, kaputte Fahrräder, Plastiktüten, „Aufzug defekt!“-Schilder und Unrat. Im achten Stock klopfte er wie wild an eine Tür, die in der Vergangenheit völlig offensichtlich nicht immer nur mit ordinären Schlüsseln geöffnet worden war. Eine verängstigte und zierliche junge Frau mit pinken Hausschuhen öffnete zaghaft, und der Mann schob sich an ihr vorbei, hinein in den vermüllten, stinkenden Flur.

„Jetzt wird`s aber Zeit!“, sagte er und wies mit den Augen auf den gepackten Koffer und den Säugling im Maxi Cosi. „Wir sollten keine Minute länger warten.“
Die junge Frau musterte ihn mit unterlaufenen und geschwollenen Augen. Dann tastete sie unbewusst und verschämt erst über ihre bläulich schimmernde Wange und anschließend über einen ehemals blutigen, inzwischen verschorften Kratzer auf der Stirn, ehe sie sich zaghaft in Bewegung setzte. Sie nahm schweigend das Kind, er den Koffer. Und gemeinsam ging es die Treppenstufen wieder hinunter, vorbei an Kinderwagen, kaputten Fahrrädern, Plastiktüten, „Aufzug defekt“-Schildern und Unrat.

Draußen verstaute der Mann das Gepäck im Kofferraum und die beiden Menschen auf der Rückbank. Und als das unberechenbare Monster auf den Parkplatz gefahren kam, schlich sich der Pajero wie eine Raubkatze lautlos und unsichtbar an ihm vorbei. Die junge Frau streichelte die kleinen Fingerchen ihres Kindes, der Mann sah auf seinen Chronografen.

Gerade noch rechtzeitig, dachte er. Und er lächelte.

Nachdem er seinen Wagen vor einem unscheinbaren Haus mit geschlossenen Vorhängen und einem hohen Zaun zum Stehen gebracht hatte, ließ er sie mit ihrem Kind aussteigen. Anschließend reichte er ihr den Koffer, in dessen Seitenfach er zuvor unbemerkt den Briefumschlag mit seinen gesamten Ersparnissen geschoben hatte. Die junge Frau, die eigentlich noch ein Mädchen war, sah ihn irritiert und mit weit geöffneten Augen an.

„Alles in Ordnung“, sagte der Mann beruhigend. „Und melden Sie sich heute Abend mal wieder bei Ihrer Mutter.“
Sie nickte. Und während ihr Tränen übers Gesicht liefen, tapste sie unsicher in ihren pinken Hausschuhen und mit ihrem Säugling und ihrem Koffer auf das unsichtbare Frauenhaus zu, wo in diesem Augenblick eine Tür geöffnet wurde.

Gerade noch rechtzeitig, dachte der Mann erneut. Und er lächelte. Doch dann sah er auf seine Armbanduhr.
Verdammt, jetzt wird`s aber Zeit.

***

Wie erwartet, sah er den Kombi mit dem Phantasialand-Aufkleber auf der Heckscheibe, wie dieser mit überhöhter Geschwindigkeit auf der Rohrdammbrücke, etwa zehn Autos vor ihm, ins Schlingern geriet und schließlich das Stahlgeländer durchbrach, um in die sieben Meter darunter fließende Spree zu stürzen. Der Mann stoppte den schwarzen Pajero auf dem schmalen Seitenstreifen, ließ die Schlüssel stecken, hechtete heraus, riss sich die Jacke von den Schultern, schleuderte sie von sich, rannte die Strecke bis zu der Stelle, an der der Wagen in den Fluss gerast war, und lehnte sich für einen tiefen Atemzug lang gegen die Brüstung der Brücke. Er konnte beobachten, wie der Kombi, Luftblasen und kleine Strudel erzeugend, langsam in den dunklen Fluten versank, während um ihn herum immer mehr Autofahrer ihre Gefährte stoppten, ausstiegen und panisch, aufgeregt und katastrophenbegierig schauten, starrten, wild gestikulierten oder ihre Handys zückten, um die Szenerie zu filmen.

Der Mann nahm seinen Chronografen vom Handgelenk, sah aufs Zifferblatt und verzog das Gesicht.

Verdammt, jetzt wird`s aber Zeit.

Er legte die Uhr um eine eiserne Verstrebung des Brückengeländers, ließ den Verschluss einrasten und warf anschließend noch einmal einen letzten wehmütigen Blick auf den wuchtigen Chronografen. Er würde ihn vermissen.
Und dann sprang er.

Weil es Zeit wurde.

***

Die Wasseroberfläche war hart wie Beton, und die Kälte der Dezemberfluten ließ sein Herz für einige Sekunden aussetzen. Doch dann pumpte es erneut warmes, lebensspendendes Blut durch seine Adern, und er begann zu tauchen. Die Dunkelheit umgab ihn wie eine feuchte, schwere, bedrohliche Masse, und bereits nach weniger als zehn Sekunden spürte er, wie ihn seine Kräfte verließen. Er konnte nichts sehen und verließ sich ausschließlich auf seinen unbewussten Orientierungssinn.

Endlich berührten die Hände des Mannes etwas Hartes. Er hatte den Wagen erreicht. Und jetzt bemerkte er auch die seltsamerweise noch brennenden Scheinwerfer, die schwache, unwirkliche Lichtkegel in die dunkelbraundämmrige Brühe warfen. Er fuhr mit seinen Fingern die Umrisse des Autos ab, und er erahnte, dass es sich bei der Scheibe, die er gerade inspizierte, um die des Beifahrers handeln musste. Der Kombi lag hochkant auf der linken Seite. Der Mann suchte nach dem Türgriff, fand ihn schließlich und begann damit, die Tür gegen den Widerstand des Wassers langsam nach oben hin zu öffnen. Entgegen aller Erwartungen entflammte in diesem Augenblick die Innenbeleuchtung des Autos, und binnen eines Wimpernschlages realisierte er, dass sich neben dem Fahrer und seiner Begleiterin noch zwei Kinder im Wageninneren befanden. Der Familienvater versuchte in diesen Sekunden, sich mit hastigen Bewegungen aus dem Anschnallgurt zu befreien, während seine Frau und die beiden Kinder aussahen, als würden sie schlafen. Der Mann griff nach dem Gurt der Frau, löste ihn und umschlang ihren Oberkörper, um sie an sich zu ziehen. In dem Moment, in dem er sie berührte, schlug sie die Augen auf, und in ihrem Blick lagen Angst und Panik. Doch sie fing sich schnell und begriff, was dieser Fremde in der klaustrophobisch-surrealen Unterwasserumgebung von ihr wollte. Sie streckte ihm ihre Hände entgegen, ließ sich von ihm helfen und befand sich kurze Zeit später außerhalb des Autos. Der Familienvater, der sich inzwischen von seinem Sicherheitsgurt befreit hatte, machte nun ebenfalls Anstalten, aus der geöffneten Wagentür zu kommen – halb kletternd, halb schwimmend, immer mit aufgeblähten Wangen und schreckhaft geweiteten Pupillen. Zu dritt wuchteten sie danach die hintere Seitentür auf und begannen damit, die Kinder aus ihrem gefluteten Gefängnis zu befreien.

***

Seine Lungenflügel glühten wie Feuer, und als er dem Vater aus dem Wagen heraus das zweite Kind zuschob, damit dieses mit ihm zurück ins Leben konnte, wurde dem Mann, trotz der gespenstisch brennenden Innenbeleuchtung und der langsam schwächer werdenden Scheinwerfer, schwarz vor Augen.

Als er sich endlich mit den Füßen abstoßen wollte, um den nassen Käfig ebenfalls zu verlassen, ging ein Ruck durch den noch immer auf der Seite liegenden Kombi. Der Mann spürte, wie die gesamte Karosserie in Bewegung geriet und unendlich langsam aufs Dach kippte. Und in dieser Sekunde erloschen auch die Glühbirnen der Innenbeleuchtung und die der Scheinwerfer.
Der Mann versuchte mit ermattenden Kräften ein letztes Mal, sich aus der Dunkelheit zu befreien, doch eine unsichtbare Macht schien ihn mit unbändigem Willen daran hindern zu wollen. Irgendwo hatte sich ein Kleidungsstück von ihm an einem Hebel, einem Griff oder sonst einem Gegenstand verheddert, sodass er sich nun weder vor noch zurück bewegen konnte.
Er sah in der Finsternis des dunklen, kalten, einsamen Flusses auf sein Handgelenk. Und obwohl dort keine Uhr mehr war und er nichts erkennen konnte, wusste er, dass er gerade noch rechtzeitig gekommen war.

Und dass es nun Zeit wurde.

***

Der junge Feuerwehrmann, der seit zwei Jahren in Berlin lebte, nachdem er zuvor für seine Freundin, die in der Hauptstadt als Politesse tätig war, aus einem kleinen Dorf in Bayern in die deutsche Megametropole gezogen war, stand genau an der Stelle, wo der Familienwagen zwei

Stunden zuvor in die Spree gestürzt war. Er verharrte am Geländer der Brücke und zündete sich eine Zigarette an. Er inhalierte tief, streckte den Kopf in den Nacken und blies den Rauch in den sonnigen, lachenden, wolkenlosen Himmel. Dann sah er erneut auf den Schwimmkran, der den Kombi aus der träge dahinfließenden Spree zog. Wasser floss in Sturzbächen aus den offenen Türen, den Fenstern und jeder erdenklichen Stelle, hinter der man einen Hohlraum vermuten konnte. Langsam schüttelte er den Kopf.

Er hatte in seinem Job während der letzten Jahre schon viel erlebt, doch das eben hatte selbst ihm eine Gänsehaut über den ganzen Körper gejagt.

Er war mit den Tauchern in einem Schlauchboot auf den Fluss gefahren und hatte mit einem Kollegen darauf gewartet, dass diese nach ihrem Tauchgang wieder an die Oberfläche kamen. Es hatte geheißen, dass noch eine Person im Autowrack eingeklemmt sei, obschon die Familie vollständig gerettet worden war. Und irgendwann waren die Froschmänner wieder an der Wasseroberfläche erschienen, mit einem leblosen Körper im Schlepptau.

Der junge Feuerwehrmann war während seiner Ausbildung und Berufstätigkeit schon mit so mancher seltsamen und absonderlichen Leiche konfrontiert gewesen, doch noch niemals hatte er bei einem Toten ein derartiges Lächeln gesehen. Der Ausdruck von Frieden und Ruhe im Gesicht des komplett kahlrasierten Mannes, der ihm zudem irgendwie bekannt vorgekommen war, hatte dem jungen Beamten wie mit einer eisernen Kralle die Kehle zugeschnürt, und er hätte nicht sagen können, was das für ein Gefühl war, das sich gerade in seinem Körper, seiner Seele, seinen Gedärmen und seinem ganzen Sein breitmachte.

Er schnippte die Kippe in einem weiten Bogen in den Fluss und drehte seinen Kopf. Er wollte schon zurück zu seinen Kameraden gehen, als ihm plötzlich das glänzende Etwas auffiel, das wenige Meter von ihm entfernt an dem eisernen Geländer der Brücke befestigt war. Der Feuerwehrmann ging darauf zu und erkannte, dass es sich um eine Armbanduhr handelte. Einen anscheinend ziemlich hochwertigen Chronografen. Er löste den Verschluss und wog die Uhr in seiner Hand. Und ehe sein Verstand realisierte, was sein Körper tat, hatte er sich die Uhr auch schon ums Handgelenk gelegt und sie verschlossen.

Und schließlich setzte er sich sicheren Schrittes in Bewegung. Jedoch ging er nicht in Richtung seiner Kollegen, nicht zu seinem Einsatzleiter, nicht zurück zu seiner Freundin oder in sein normales Leben.
Er ging, den schweren Chronografen am Handgelenk spürend, weiter und weiter, bis er schließlich auf den letzten Metern zu rennen begann.
Er erreichte den schwarzen Geländewagen, der noch immer auf dem schmalen Seitenstreifen stand, riss die Tür auf, warf sich auf den Fahrersitz, startete den Motor und legte den ersten Gang ein. Und dann drückte er das Gaspedal des Pajeros so heftig durch, dass die protestierenden und qualmenden Reifen dunkle Spuren auf dem Asphalt der Brücke hinterließen.

Und während der Mann abermals einen Blick auf seine neue Armbanduhr warf, realisierte er, dass es, verdammt noch mal, jetzt aber Zeit wurde.

Glücks-Traum

Guidos schwarzer Porsche brummte und knurrte wie ein aggressiver Panther. Voller unterdrückter und doch stetig fühlbarer Kraft, Wut und Energie. Immer bereit zum Sprung, immer bereit, den natürlichen Feinden der Wildnis zu beweisen, wer der eigentliche Herrscher auf den Straßen war.

Es war nebelig und finster in diesem trostlosen, heruntergekommenen Teil der Stadt. Die Laternen am Wegesrand leuchteten die Straßen nur unzureichend aus, und die Sicht betrug mancherorts nicht einmal zehn Meter.
Plötzlich sah Guido das kleine Mädchen auf dem roten Kinderfahrrad. Es musste sechs, höchstens sieben Jahre alt sein. Es fuhr auf dem Bürgersteig. Rechts von ihm. Und natürlich ohne Licht – ohne Helm.
Guido wollte schon an dem Mädchen vorbeifahren, die verantwortungslosen Eltern im Geiste verfluchend, als er, mehr unbewusst als bewusst, wahrnahm, dass das Mädchen auf einmal stürzte und vornüber über den Lenker fiel.

Guido stoppte den Panther. Abrupt und brutal, und das Tier unter der Motorhaube stöhnte, brüllte verärgert auf. Denn es wollte jagen, seine Urkraft ausleben, vernichten – und keine kleinen Menschenkinder retten.
Der Mann sprang aus dem Wagen und näherte sich dem weinenden Mädchen.

***

Tanjas Hände lagen auf dem gewölbten Bauch, während Tom den kleinen Seat fuhr.
„Was hältst du von Jens?"
Ihr Verlobter runzelte die Stirn.
„Gar nichts! Zumal ich mir sicher bin, dass wir ein Mädchen bekommen."
Tanja lachte.
„Du und dein Traum von einer kleinen Prinzessin."
„Was ist daran so witzig?", fragte Tom schmollend. „Du würdest dich doch auch über eine kleine Tochter freuen. Stell dir doch nur mal vor, wie so ein kleiner Engel im Sommerkleid auf dich zuläuft, vor Freude strahlt und die Arme ausbreitet. Wäre das nicht wundervoll?"

Tanja lächelte.
Sie liebte Tom und seine fürsorgliche, herzerwärmende Art über alles. Er würde ein großartiger Papa werden.
„Du hast ja recht. So ein zuckersüßes, hübsches Mädchen muss das größte Glück für Eltern bedeuten … Achtung! Da vorne steht ein Auto!"

Tom erkannte den schwarzen Wagen, den Panther, viel zu spät. So sehr war er im Nebel, in seinen warmen, wohligen Vorstellungen gefangen. Gefangen im Glücksgefühl. Gefangen im Wissen, Vater zu werden.
Er bremste verzweifelt und riss voller Panik das Lenkrad herum.

***

Guido kniete neben dem Mädchen auf dem Bürgersteig. Er hielt seinen Kopf, sprach liebevoll und leise. Und dann vernahm er das Geräusch.

Laut, krachend, schrill, tödlich.
Er hob den Blick und sah in seiner letzten Lebenssekun-de, wie die zwei funkelnden Scheinwerfer eines Klein-wagens auf ihn und das Kind zurasten.
Danach war alles still.

Und der Panther grinste.

Sieben Tage – Das Experiment

Manuel inspiziert zunächst den Kühlschrank, dann das Eisfach und zuletzt die Regale, auf denen er seine Vorräte gelagert hat. Und was er sieht, stimmt ihn zuversichtlich. Mit dem ganzen Kram komme ich locker zwei Wochen hin, denkt er. Vielleicht sogar drei.
Die Quarantäne kann beginnen.

***

Während der ersten Tage ist er noch positiv gestimmt. Er steht früh auf, bereitet sich sein obligatorisches Müsli und seinen nicht weniger obligatorischen Kaffee zu, arbeitet sich durch die Tageszeitung, die er sich stets nach dem Duschen noch im Bademantel aus seinem Briefkasten im Erdgeschoss des Hochhauses holt, zieht sich an, räumt die Wohnung auf, putzt den einen oder anderen Raum etwas gründlicher als sonst, surft ein wenig durchs Internet, kocht sich ein zumeist einfaches Mittagessen, greift anschließend zu einem Buch, einer Fachzeitschrift über Fische oder nach der Fernbedienung seines riesigen Flatscreens, versinkt regelrecht in den unterschiedlichen Lektüren oder TV-Angeboten, nimmt irgendwann ein ebenfalls recht bescheidenes Abendessen ein, schaut sich drei oder vier Folgen seiner aktuellen Serie auf Netflix an, macht sich fertig und geht irgendwann zwischen elf und zwölf ins Bett.

Daran könnte ich mich gewöhnen, denkt er, während der Schlaf ihn nach dem dritten Tag begrüßt.

***

Am nächsten Morgen fällt ihm das Aufstehen irgendwie schwerer. Draußen prasselt der Regen gegen die Fensterscheiben, es ist grau und nebelig. Doch er rafft sich auf, denn Disziplin hat er. Schließlich ist er jahrelang als Fernfahrer mit den dicksten Brummern durch Europa gefahren, und selbst Stürme, Schnee und Blitzeis hatten ihn nie davon abhalten können, seine Fracht termingerecht zu liefern oder abzuholen.
Und um so einen Job knappe drei Jahrzehnte lang gewissenhaft auszuüben, braucht man schon eine ordentliche Portion Disziplin. Er war sogar so pflichtbewusst gewesen, dass er seine Ehe mit Maylin dabei zerstört hatte, weil er schlichtweg nie zuhause gewesen war.
Einige Monate nach der Scheidung hatte er dann einen Bandscheibenvorfall, der sich in den Folgejahren als so schwierig, gravierend, hartnäckig und schmerzhaft herausstellte, dass er seinen Job schließlich nicht mehr ausüben konnte und mit Ende fünfzig in den Vorruhestand geschickt wurde.
Nun war er täglich die ganze Zeit über zuhause, doch Maylin war weg.

Vor ein paar Tagen wurde er telefonisch darüber informiert, dass Peter Schubeck, sein Physiotherapeut, den er wöchentlich einmal aufsuchte, nachweislich an Corona erkrankt war. Er würde deshalb in ein paar Stunden, am späten Nachmittag, Besuch von einem Mediziner des Gesundheitsamtes bekommen, der bei ihm einen Abstrich machen würde. Man teilte ihm zudem mit, dass mit allen Kunden und Patienten von Peter Schubeck vorsorglich so verfahren würde und dass er sich schon einmal auf die häusliche Quarantäne einstellen solle.

Manuel nutzte die Zeit bis zum Eintreffen des Mediziners, indem er ein letztes Mal einkaufen ging. Dabei achtete er gewissenhaft darauf, dass seine Maske nicht verrutschte, er einen großen Abstand zu den anderen Menschen hielt und stets nur in die Armbeugen hustete. Eine Stunde nachdem er die gesamten Einkäufe, obwohl er alleine lebte, hatten sie beinahe den ganzen Kofferraum seines alten Fiats ausgefüllt, in die Wohnung geschleppt hatte, war auch schon der Mann vom Amt gekommen.

Das war vor vier Tagen gewesen, und bisher hat Manuel weder Symptome dieser seltsamen Krankheit gespürt, noch ein Ergebnis bezüglich seines Tests erhalten.
Doch das Warten macht ihm nichts aus.
Macht ihn nicht nervös.
Denn er hat Zeit, genügend Vorräte, einen funktionierenden Internetanschluss – und Disziplin.
Ja, die hat er.
Wenn er eines hat, dann Disziplin.

***

Er schlurft im Bademantel durchs Treppenhaus, grüßt den Schlipsträger aus dem dritten Stock, der ihm mit einer Brötchentüte auf der Treppe entgegenkommt, und zuckt nur mit den Achseln, als dieser wie gewohnt nicht zurückgrüßt. Unten bei den Briefkästen greift er nach seiner Zeitung, klemmt sie sich unter den Arm und steigt die sieben Stockwerke wieder nach oben. Er könnte den Aufzug nehmen, doch wenn er in dieser seltsamen Zeit schon keine Physiotherapie hat, möchte er sich zumindest zwischendurch mal körperlich betätigen.

In seiner Wohnung macht er sich sein Müsli und seinen Kaffee, setzt sich mit der Zeitung an den Küchentisch und beginnt, diese zu lesen.
In einem Artikel geht es um Nachbarschaft, Fürsorge und Nächstenliebe in Corona-Zeiten. Es berührt ihn, wie aufmerksam die Menschen nachweislich weltweit während dieser Krise aufeinander achten, einander helfen und so etwas wie den Respekt gegenüber den Mitmenschen wieder für sich entdecken.
Er wischt sich verstohlen und leicht beschämt ein paar Tränen aus den Augen und legt die Zeitung auf den Tisch.
Wie wunderbar, denkt er, während er fühlt, wie sich seine schlechte Stimmung und seine leichte Antriebslosigkeit verflüchtigen. Dann hat diese Krise vielleicht ja auch etwas Gutes. Ist es nicht großartig, wie sich die Menschen in schlechten Zeiten gegenseitig unterstützen?

Manuel putzt die Küche. Er holt alle Lebensmittel, alle Konserven, alle Nudeltüten von den Regalen und wischt den Staub weg, der sich dort abgelagert hat. Als er das oberste Regal abräumen möchte, spürt er den altbekannten Schmerz im Rücken.
Verdammt, denkt er, greift sich an die stechende Stelle und stöhnt leicht auf. Danach geht er langsam und gebeugt zum Tisch, setzt sich und legt seinen Kopf ein paar Sekunden auf die Zeitung. Auf den Artikel über Nächstenliebe, Hilfsbereitschaft und funktionierende Nachbarschaften.

***

Wer würde mir eigentlich helfen, wenn ich wirklich Hilfe bräuchte? Wer würde für mich einkaufen, wenn ich nicht alles schon selbst erledigt hätte? Wer würde meine Wohnung putzen, mein Essen kochen? Wer würde mir die Zeitung hochbringen, wenn ich nicht mehr laufen könnte? Wer würde nachfragen, ob mit mir alles okay ist? Wer würde sich melden, mal anrufen, mal vorbeikommen?
Ja, wer eigentlich?
Wer?

Wen interessiert es, wie es mir aktuell geht und was ich so mache? Wie ich meine Tage verbringe oder ob ich vielleicht tatsächlich infiziert bin und einen schweren Krankheitsverlauf habe? Ob ich gut schlafe oder nachts Alpträume habe? Was ich denke und fühle? Ob ich mir wertvoll vorkomme oder unnütz?
Ja, wen eigentlich?
Wen?

Maylin?
Gewiss nicht! Die lebt über 100 Kilometer entfernt bei ihrem Neuen und hat sich seit Jahren nicht mehr gemeldet.
Die Kinder?
Sein Herz beginnt zu brennen, als ihm klar wird, dass auch die zuletzt zu Weihnachten angerufen haben. Und das ist nun bereits fast sechs Monate her.
Den Schlipsträger aus dem Dritten?
Ha! Der würde ihn ja noch nicht einmal im Treppenhaus grüßen, wenn Manuel ihm den Weg versperren würde.

Also, wen interessiert es?

Auf seine Kumpels aus der Kneipe, die er vor Corona ein bis zwei Mal im Monat besucht hat, kann er auch nicht bauen. Die haben weder seine Telefonnummer noch seine Adresse. Und wenn Manuel ehrlich ist, kennen sie nicht einmal seinen Nachnamen.
Seine ehemaligen Arbeitskollegen? Wie denn, wenn er jahrelang nur allein auf dem Bock gesessen hat?
Seinen alter Chef? Schwachsinn! Der war am Ende doch froh, dass der Mitarbeiter weg war und er nicht ständig umdisponieren musste, wenn wieder einmal eine Krankmeldung von Manuel ins Haus geflattert kam.

Wer bleibt denn dann noch?
Für wen ist es wirklich ein innerstes Bedürfnis, eine Herzensangelegenheit, sich nach mir zu erkundigen?
Zu erfahren, wie es mir geht.
Und ob ich überhaupt noch lebe.

***

Als er vor dem Spiegel steht, sieht er einen alten Mann, der ihm fast schon wie ein Fremder vorkommt.
Wen interessiert`s?

Er putzt sich die Zähne, schmeckt die Minze in der Pasta. Das macht einen guten Atem.
Wen interessiert`s?

Er zieht sich den Schlafanzug an. Den, den er erst heute gewaschen hat. Er duftet frisch und nach Frühling.
Wen interessiert`s?

Er legt sich ins Bett, zieht die Decke bis unters Kinn.

Ich bin eigentlich gar nicht so ein übler Typ, denkt er. Aber verdammt noch mal, wen interessiert`s?

***

In dieser Nacht begrüßt ihn der Schlaf nicht. Hüllt ihn nicht sanft in Watte, lässt ihn nicht alles Negative vergessen. Beschützt, stärkt ihn nicht.

Am nächsten Morgen fühlt er sich nach der schlaflosen Nacht fürchterlich. Er kämpft sich nahezu aus dem Bett, sein Rücken schmerzt. Draußen scheint die Sonne, doch in seiner Seele herrscht Dunkelheit.
Sein gestern noch wohlriechender Schlafanzug ist verschwitzt und stinkt. Er wirft sich den Bademantel über und holt die Zeitung. Diesmal begegnet er dem aus dem Dritten nicht.
Zurück in der Wohnung schmeißt er die Zeitung auf den Küchentisch und kriecht wieder ins Bett. Und endlich gelingt es ihm, ein wenig zu schlafen.

***

Am offenen Grab stehen nur die sechs anonymen Träger und ein Geistlicher, den Manuel noch nie gesehen hat. Alle tragen sie schwarze Masken. Alle haben sie keine Gesichter. Keine Namen. Nachdem der Sarg in die feuchte Erde herabgelassen worden ist, spricht der Mann der Kirche ein stilles Vaterunser. Anschließend segnet er das Grab und wirft eine Schüppe Dreck auf den Sarg. Dann dreht er sich um und schreitet langsam und allein zurück zur Kapelle. Die Träger legen ihre Sakkos ordentlich auf eine Bank, greifen sich jeweils eine Schaufel und fangen an, das Grab mit Sand, Mutterboden und Schmutz zu füllen.

Der körperlose Manuel lässt seinen Blick über die Szenerie wandern. Es ist tatsächlich niemand zu seiner Beerdigung gekommen.

***

Gegen Mittag erwacht er mit starken Kopfschmerzen. Er geht ins Bad und stellt sich fast eine halbe Stunde lang unter die Dusche. Anschließend zieht er sich an, macht sich einen Kaffee, holt sich einen Schreibblock und einen Stift aus dem Wohnzimmer, setzt sich an den Küchentisch, greift nach der Zeitung, schleudert sie auf den Boden und beginnt damit, einen einzigen Satz auf das Papier zu schreiben.
Er schreibt langsam und bedächtig. Und er schreibt so schön und leserlich, wie er nur kann. Und er schreibt entschlossen und diszipliniert.

Wenn sich innerhalb der nächsten sieben Tage kein Mensch aus rein persönlichen Gründen bei mir meldet, mich anruft, mich besucht oder mir schreibt, werde ich mein Leben selbstständig und unmittelbar beenden.

Er weiß selbst nicht genau, warum er diesen Satz schreibt, diesen Vorsatz gefasst hat. Er weiß nur, dass er es verdammt ernst meint.

Manuel war nie ein besonders fröhlicher oder geselliger Kerl gewesen. Aber depressiv oder suizidgefährdet war er auch nie. Jetzt jedoch spürt er eine tiefe Traurigkeit, eine tiefe Leere. Der Traum und die Gewissheit, komplett allein und unwichtig zu sein, lassen ihn sich selbst in diesem Augenblick sogar fragen, warum er überhaupt eine Woche warten soll.

***

Die nächsten beiden Tage ziehen sich dahin wie fader Kaugummi. Manuel versucht krampfhaft, eine Struktur in sein Handeln zu bringen, doch mit jeder Sekunde, die still und ohne das Klingeln des Telefons oder das Läuten an der Tür vergeht, wird er schwerfälliger und unmotivierter. Zugleich hat er das Gefühl, dass seine Schmerzen im Rücken permanent stärker werden. Zweimal täglich geht er nach unten, um die Zeitung zu holen oder um nachzusehen, ob er vielleicht Post bekommen hat.
Die Zeitung ist jeden Morgen da, und auch Post erhält er zuweilen. Einmal ist es die Rechnung des Klempners, der vor einigen Wochen Manuels Toilettenspülkasten repariert hat, einmal der Werbeprospekt eines Discounters und einmal die schriftliche Mitteilung der Physiotherapie-Praxis, die ihm verkündet, dass alle geplanten Anwendungen bis Mitte Juli leider abgesagt werden mussten.

Manuel bemüht sich, immer gut und passabel auszusehen, denn man kann ja nie wissen, ob nicht doch irgendwann völlig überraschend Besuch vor der Tür steht. Er rasiert sich morgens gründlich, trägt stets saubere und frisch gebügelte Kleidung und hat sogar wieder angefangen, trotz seiner Rückenschmerzen, mehrmals täglich diszipliniert seine Übungen durchzuführen. Und obwohl ihm die Übungseinheiten immer leichter von der Hand gehen, er täglich sicherer und routinierter mit den Kurzhanteln agieren kann und spürt, dass seine Muskeln positiv auf die Anstrengungen reagieren, fühlt er sich von Tag zu Tag, von Minute zu Minute, von Atemzug zu Atemzug schlechter und schwächer.

***

Ab dem dritten Tag kontrolliert er fast stündlich seinen Internet-Browser, sein E-Mail Postfach und sein tragbares Festnetztelefon. Er entschließt sich sogar dazu, wahllos irgendwelche Nummern in das Telefon einzugeben, um zu überprüfen, ob das Gerät wirklich funktioniert.

„Mahmud El Haij!“
„Entschuldigen Sie bitte. Ich habe mich verwählt.“
„Nicht schlimm. Passiert!“
„Danke für Ihr Verständnis.“
„Hey, ich sagte doch, nicht schlimm.“
„Dann wünsche ich Ihnen noch einen schönen Tag.“
„Ja, dir auch. Und bleib gesund.“

Da er weder Handy noch Smartphone besitzt, erwägt er des Öfteren, sich einfach heimlich im Telekommunikations-Shop um die Ecke ein solches Gerät zu besorgen, um sich selbst anzurufen. Vielleicht hat sein Telefon ja einen Defekt.
Vielleicht kann er selbst ja Leute anrufen, jedoch keine Anrufe entgegennehmen. Da er noch immer kein Ergebnis vom Gesundheitsamt hat, unterlässt er es aus Pflichtbewusstsein.

***

Am vierten Tag nach der Stellung seines Ultimatums macht er sich abends zwei Schnitzel, obschon er nicht hungrig ist und noch nicht einmal Appetit hat. Er baut sich dafür eine richtige Panierstraße auf. Mit drei großen, flachen Aluschalen, so wie er es im Fernsehen gesehen hat. Mehl, Eier und selbst gemachtes Paniermehl.

Er nimmt sich viel Zeit für das Klopfen der aufgetauten Fleischscheiben, und er fühlt, dass er mit jedem Schlag seines Flacheisens auf das helle, tote Schweinefleisch ruhiger und ruhiger wird.
Seltsam, denkt er. Vielleicht sollte man allen Selbstmordkandidaten und depressiven, hypernervösen Angstpatienten anstatt diverser Pillen und Therapien einfach nur täglich 20 Kilogramm rohes Fleisch und einen Hammer verschreiben.
Er salzt die Schnitzel, spritzt ein wenig Zitrone darauf, zieht sie durch das Mehl, durch die Eier, durch das Paniermehl. Anschließend lässt er sie vorsichtig in die Pfanne mit enorm viel Öl und Butterschmalz gleiten.
Ein richtiges Schnitzel muss schwimmen, denkt er. Und eigentlich wird es gebacken, nicht gebraten.

Die Panade wölbt sich verführerisch, während sie langsam braun wird. Das Öl bildet Blasen. Das ist fast schon Frittieren, denkt er.
Aber wen interessiert`s?

Manuel holt die Schnitzel vorsichtig aus der Pfanne, legt sie auf einen mit Küchenpapier ausstaffierten Teller und schaltet den Herd aus. Dann prüft er sie mit einer Gabel. Schneidet ein Stückchen ab.

Knusprig sind die Schnitzel. Und gut durch. Das Fleisch strahlt ihn fast weiß an.
„Perfekt", murmelt er leise, nimmt den Teller, geht zum Mülleimer und kippt die Schnitzel hinein.
„Aber wen interessiert`s?

***

Am fünften Tag hält Manuel es nicht mehr aus. In der Tageszeitung steckt erneut ein Prospekt von einem nahe gelegenen Discounter. Smartphones werden dort angeboten. Für einen sensationell günstigen Preis. Er zieht sich an, macht sich ausgehfertig. Er vergewissert sich, dass er Maske und Bankkarte dabei hat und verlässt nach zehn Tagen zum ersten Mal wieder das Haus.

***

Daheim richtet er dieses neumodische Gerät ein. Dazu benutzt er eine YouTube-Anleitung, die er sich auf seinem riesigen Fernsehbildschirm im Wohnzimmer ansieht. Danach aktiviert er seine Prepaid-Karte und wartet geschlagene vier Stunden darauf, dass sie freigeschaltet wird und er sie endlich nutzen kann.

Mit zittrigen Fingern tippt er seine eigene Festnetznummer ein. Drückt auf den grünen Hörer.
Nichts!
Eine Sekunde.
Zwei Sekunden.
Drei Sekunden.
Nichts!

Hoffnung keimt in ihm auf. Rast durch seinen Körper, seine Seele. Fast schreit er auf vor Freude.
Und dann durchbricht plötzlich das Klingeln seines tragbaren Haustelefons die Stille in der kleinen Wohnung im siebten Stock des Hochhauses in Frankfurt Mitte.

Niemals in seinem Leben fühlte sich Manuel hoffnungsloser, einsamer und verlassener.

***

Sechster Tag.
Er hat Rückenschmerzen.
Das neue Smartphone liegt zerbrochen, zersplittert, zertreten auf den langsam vor sich hin stinkenden, vergammelnden Schnitzeln im Mülleimer. Manuel sitzt am Küchentisch. Er ist unrasiert, trägt die Kleidung vom Vortag, hat kein Deo aufgetragen und die Tageszeitung erneut nicht gelesen.
Er hat seit zwei Tagen nicht mehr gelüftet. Die Rollläden zieht er auch nur noch zur Hälfte hoch – wenn überhaupt. Wen interessiert`s?

Draußen ist eh immer dasselbe Wetter. Nur dass es mal heller, mal dunkler, mal bedeckter und mal sonniger ist. Für einen einsamen Quarantänemenschen, der sein Leben auf 48 Quadratmetern fristet, ohne Terrasse und Balkon, ist das Wetter irgendwann eine absolut nebensächliche und nicht bemerkenswerte Randerscheinung.
Vor allem, wenn es für das weitere Leben, das weitere Überleben nicht die geringste Rolle spielt.

Manuel schreibt Briefe.

Einen an Maylin.
Einen an Susanne.
Einen an Stephan.
Einen an den Schlipsträger aus dem Dritten.
Einen an seinen ehemaligen Boss.
Einen an den Pächter seiner Stammkneipe, denn er kennt die Nachnamen und Adressen seiner Kumpels nicht.

Eltern hat er schon lange nicht mehr. Ansonsten würde er auch ihnen schreiben.

Und am Ende schreibt er einen Brief an Herrn oder Frau Unbekannt. Und damit meint er die bemitleidenswerte Person, die ihn in einigen Tagen tot und leblos in seiner Wohnung finden wird.
Wahrscheinlich wird es der Hausmeister oder irgendein Feuerwehmann oder Polizist sein. Da Manuel davon ausgeht, dass es entweder der überquellende Briefkasten oder der Verwesungsgeruch im Treppenhaus sein wird, der diese Menschen veranlasst, seine Wohnungstür zu öffnen, beruhigt er sich bei dem Gedanken, dass sie dann ja zumindest vorgewarnt sein werden und nur die hartgesottensten Profis in sein Wohnzimmer lassen.
Leute, die so etwas schon tausendmal erlebt haben und für die der Anblick eines frustrierten, einsamen Selbstmörders nichts Besonderes darstellt.

Manuel faltet die Zettel sorgfältig zusammen und steckt sie in Briefumschläge. Er schreibt die Empfänger darauf, ohne jedoch Adressen zu vermerken.

Er geht ins Wohnzimmer und legt die meisten Briefe unverklebt vor das einzige Familienfoto, das er noch be-

sitzt und das verloren und allein vor dem riesigen Fernseher steht.
Den Brief für die arme Finderperson lässt er zunächst noch auf dem Küchentisch liegen.

***

Am siebten Tag wird er durch lautes Klopfen geweckt. Ermutigt und mit einem erleichterten Grinsen im Gesicht schießt er trotz seiner Rückenschmerzen in die Höhe, stolpert zur Wohnungstür und reißt sie auf.
Vor ihm steht ein kleiner ausländischer Junge, vielleicht acht oder neun Jahre alt. Manuel ist sich sicher, ihn noch niemals zuvor in seinem Leben gesehen zu haben. Die Augen des Knirpses drücken Überraschung und Verwirrung aus.
„Ja?“, wispert Manuel leise und enttäuscht, während sich ein Kloß in seinem Hals bildet.
„Ich, ich …“, stammelt der Knirps unbeholfen. „Habe mich mit der Tür vertan. Nicht böse sein.“
Manuel lächelt sanft, und er merkt kaum, dass er sich dafür nicht einmal anstrengen muss.
„Ich bin dir nicht böse. Sowas passiert.“ Das Sprechen fällt ihm schwer. Seine Wörter klingen verwaschen.
Der Junge will sich wegdrehen, als Manuel noch etwas sagt:
„Geh noch nicht. Ich habe etwas für dich.“
Er lässt den Jungen stehen und eilt mit schmerzendem Rücken und protestierenden Knochen in die Küche. Dort holt er Kekse, zwei Tafeln Schokolade und eine noch ungeöffnete Packung Fruchtmüsli aus dem Schrank. Beladen wie ein Sternsinger läuft er zurück zur Wohnungstür.

„Hier! Für dich! Ich brauch das nicht mehr."
Der Junge mustert Manuel argwöhnisch. Er scheint zu überlegen. Schließlich greift er nach den Leckereien, drückt sie an seine Brust und grinst erfreut.
„Für mich allein?"
Manuel nickt.
„Für dich ganz allein."

Der Junge legt den Kopf auf die Seite und begutachtet die Lebensmittel.
„Wollen deine Kinder das denn nicht essen?"
„Nein", antwortet Manuel gedehnt. „Die wollen das nicht essen."
Auf dem Gesicht des Kleinen erscheint nun ein regelrechtes Strahlen. Jedoch nur für ein, zwei Sekunden lang.
„Muss ich es teilen?"
Der ungepflegte Mann in der offenen Wohnungstür schüttelt den Kopf.
„Nein! Du musst nicht teilen. Das ist ein Geschenk nur für dich." Und einige Atemzüge später: „Aber wenn du willst, darfst du es natürlich auch teilen. Die Entscheidung liegt ganz allein bei dir."
Der kleine Junge überlegt einen Moment fieberhaft. Dann lächelt er und zeigt Manuel eine perfekte Zahnlücke.
„Dann teile ich nicht."

***

Nachmittags geht er erneut zum Briefkasten. Er klaubt das Schreiben aus dem Fach und reißt es noch vor Ort auf.

... teilen wir Ihnen mit, dass Ihr Test negativ ausgefallen ist. Wir würden innerhalb der nächsten sechs Werktage jedoch gerne erneut eine Testung bei Ihnen vornehmen. Wir kündigen unser Kommen telefonisch an. Bis dahin fordern wir Sie auf, sich weiterhin in häuslicher Quarantäne aufzuhalten.

Manuel schnauft verächtlich, zerreißt den Brief und lässt die Papierfetzen achtlos zu Boden fallen.
Er geht nach oben, verschließt die Wohnungstür, sinkt auf die Knie und beginnt hemmungslos zu weinen.

***

Als Manuel sich zum vermeintlich letzten Mal in seinem Leben einen Kaffee einschenkt, hört er menschliche Stimmen aus dem Stockwerk über sich. Menschlichen Gesang.

„Happy birthday to you, happy birthday to you …"

Er hebt die Tasse gen Zimmerdecke und prostet dem unbekannten Geburtstagskind zu.
„Happy birthday."

In diesem Augenblick vernimmt er plötzlich einen Knall, einen dumpfen Schlag, ein Poltern. Manuel stellt die Tasse zurück auf den Tisch und erhebt sich schwerfällig. Er blickt sich um. In der Küche sieht er nichts Außergewöhnliches. Daraufhin begibt sich Manuel ins Wohnzimmer. Er geht an dem Stuhl und dem von der Decke hängenden Seil vorbei, tritt ans große Fenster, zieht die Gardine zur Seite und späht durch die halb geöffnete Ja-

lousie nach draußen. Auf dem Sims hockt, verängstigt und zitternd, ein kleiner Vogel.
Ein Wellensittich. Blau und grün.
Genauso einen Wellensittich hatte Manuel seiner Tochter Susanne einst zu ihrem zehnten Geburtstag geschenkt.
„Happy birthday, liebe Susanne, happy birthday to you.“

Es bricht ihm das Herz, als er ins Gesicht des kleinen unschuldigen Vogels blickt, der da bebend und mit aufgeplustertem Gefieder vor seinem Fenster hockt.

„Flieg nach Hause, kleiner Freund“, flüstert er tränenerstickt. „Flieg zurück nach Hause. Da wartet bestimmt jemand auf dich.“
Dann lässt er die Rollläden komplett herunter.

***

Manuel blickt auf die Uhr.
Es ist kurz vor 20 Uhr.
Für eine halbe Sekunde kommt es ihm in den Sinn, noch die Tagesschau einzuschalten, doch mit einem traurigen Lächeln verabschiedet er sich von diesem abstrus absurden Gedanken.

Warum sollte er sich jetzt noch für die Welt interessieren, wenn die Welt sich doch nicht für ihn interessiert?

Die Wohnung ist so sauber und aufgeräumt wie noch niemals zuvor während der letzten Jahre. Der Müll ist ordentlich in mehreren zugebundenen und verschnürten Plastiktüten verstaut. Die Küche blitzt vor Reinheit, das

Bad glänzt und selbst die Bettwäsche im Schlafzimmer ist gebügelt.
Manuel trägt seinen guten Anzug. Den, den er zuletzt bei der Abi-Feier seines Sohnes Stephan getragen hat. Er ist rasiert und die hässlichen Haare an den Ohren und in der Nase sind gestutzt.
Er vergewissert sich pflichtbewusst und diszipliniert, dass in der gesamten Wohnung kein elektrisches Gerät mehr eingeschaltet ist. Nur den Kühlschrank und das Eisfach lässt er laufen. Er hat vergessen, die Lebensmittel zu entsorgen und den Schrank abzutauen. Zuletzt zieht er den Stecker seines Radioweckers im Schlafzimmer aus der Dose.
Zum letzten Mal betritt er die Küche, greift nach der Kaffeetasse, die noch immer auf dem Tisch steht, neben dem Brief an den bedauernswerten Finder, setzt sie an die Lippen und schüttet sich die kalte, bittere Flüssigkeit in den Mund. Danach geht er zur Spüle, wäscht die Tasse aus, trocknet sie ab, stellt sie in den Schrank, wischt mit dem Trockentuch noch einmal über die Armaturen und die Arbeitsflächen und hängt es dann zum Trocknen über die ausgeschaltete Heizung.
Nach einem letzten gewissenhaften, prüfenden Blick verlässt er die Küche. Er schreitet langsam aber entschlossen ins Wohnzimmer.

Er ist sich in diesem Augenblick, in diesem Moment nicht sicher, was er fühlt. Wie es ihm geht. Ob er Angst hat oder ob er traurig ist. Irgendwie fühlt er gar nichts. Aber er weiß, dass seine Entscheidung richtig ist und die nun folgende Aktion unaufschiebbar.

Es ist dämmrig, obwohl draußen noch immer die Sonne scheint. Es fällt kaum Licht durch die geschlossenen Jalousien.
Manuel hat ein paar Handtücher auf und unter den Stuhl gelegt. Irgendwann hat er mal gehört oder gelesen, dass der Mensch in den Sekunden des Todes Körperflüssigkeiten und den kompletten Darminhalt verliert. Wegen der sich entspannenden Muskeln. Die Tücher vermitteln ihm eine gewisse Sicherheit.

Er steigt auf den Stuhl und legt sich die Schlinge um den Hals. Dabei stellt er fest, dass sein Puls ganz normal ist. Kein beschleunigter Herzschlag.
Und noch einmal überdenkt er kühl und nüchtern sein Vorhaben. Nach einer Minute nickt er schließlich grimmig, greift mit beiden Händen über sich an das Seil, zieht sich mit aller Kraft ein paar Zentimeter in die Höhe, stößt mit seinem rechten Fuß den Stuhl zur Seite und lässt sich entschlossen und diszipliniert in die endlose Tiefe fallen.

Und ganz bewusst hört er das noch immer gedämpft verzweifelte Flügelschlagen und hoffnungslose Rufen und Piepen des Wellensittichs vor seinem Fenster.

Wider Erwarten bricht sein Genick nicht.
Die Fallhöhe hat einfach nicht ausgereicht.
Und somit dauert es endlose fünf Minuten, bis der erbärmlich erstickende Manuel den kleinen Vogel vor seiner Wohnzimmerscheibe zum letzten Mal verzweifelt schreien hört.

***

„Kann ich Ihnen helfen?“
Der feiste Hausmeister blickt auf die kleine, zierliche Person herab, die unbeholfen, unsicher und ein wenig verloren vor der Haustür des Hochhauses steht. Sie trägt eine hellblaue Stoffmaske mit Blümchenmuster.
„Ich weiß nicht“, antwortet diese vorsichtig und weicht einen Schritt zurück. „Ich versuche seit Tagen, jemanden zu besuchen, doch er reagiert einfach nicht auf mein Klingeln. So langsam mache ich mir Sorgen.“
Der übergewichtige Mann verzieht das Gesicht zu einem schmierigen Lächeln und meint:
„Es tut mir leid, aber die Klingelanlage spinnt schon seit mindestens einer Woche – zumindest, wenn man den Aussagen der Mieter hier Glauben schenken kann, die ich während der letzten Stunden befragt habe. Muss irgendwie mit der Elektrik zu tun haben. Dummerweise ist das erst heute offiziell an mich herangetragen worden. Sonst hätte ich den Fehler natürlich längst behoben. Ich bin in meinem Job nämlich überaus korrekt und diszipliniert.“
Der fette Hausmeister fixiert die hübsche junge Frau, ihr eng anliegendes Top, ihre wohlgeformten Brüste und grinst anzüglich.
„Wen wollten Sie denn so dringend besuchen? Etwa einen feurigen Liebhaber?“
Die Frau atmet tief durch, ihre Stoffmaske legt sich eng um ihren Mund, um anschließend eine kleine Beule zu bilden.
„Nein! Ich wollte lediglich meinen Vater treffen. Manuel Tönnis.“
Die Gesichtszüge des Hausmeisters entspannen sich, werden ein wenig sympathischer, freundlicher.
„Und Sie haben tatsächlich schon öfters versucht, ihn zu besuchen?“

„Denken Sie etwa, ich belüge Sie“, erwidert die attraktive Frau. „Ich absolviere gerade ein 8-wöchiges Praktikum in Frankfurt, bin seit einer Woche hier und habe seitdem jeden Tag mindestens fünfzehn Minuten wie blöd vor dieser verdammten Haustür gestanden und geklingelt.“
„Warum haben Sie ihn nicht einfach angerufen?“
Die Besucherin zieht die Stirn in Falten.
„Weil ich ihn überraschen wollte, indem ich direkt vor ihm stehe.“

Der Hausmeister sieht die Frau lange an. Schließlich nickt er, tritt einen Schritt zurück, schließt die Haustür auf und öffnet sie einen Spalt.
„Ich glaube Ihnen. Wenn Sie wollen, können Sie zu ihm hoch. Ihr Vater wohnt im siebten Stock, der Name steht an der Tür und der Aufzug ist da vorne links.“
Die Frau bedankt sich und betritt den Eingangsbereich des Hochhauses.
„Ach ja, und noch was“, sagt der Hausmeister. „Oben müssen Sie natürlich klopfen, wegen der kaputten Klingel. Und bringen Sie ihrem Vater doch die Tageszeitungen mit. Die hat er seit zwei Tagen nämlich nicht mehr geholt und stecken noch im Briefkasten.“

Vom Tal auf den Berg – und zurück

Der Wagen jaulte und schrie, als Lea ihn die schmale und kurvenreiche Straße den Berg hinaufquälte. Max, der bereits seit dem Moment wieder nüchtern war, als seine Frau ihm die Schlüssel aus der Hand genommen hatte, um selbst zu fahren, verdrehte hilflos die Augen.
„Wärest du so freundlich, bitte in den dritten Gang zu schalten? Die Tachonadel steht bei fast sechzig. Das hört doch ein Tauber, dass uns der Motor gleich um die Ohren fliegt."
Lea würdigte ihn keines Blickes, gab stattdessen noch mehr Gas und dachte nicht im Traum daran, Max` Rat zu befolgen.
„Das war kein Witz!", schrie Max plötzlich außer sich. „Ich meinte das ernst! Du zerstörst unser Auto, und wir haben zurzeit kein Geld, um uns ein neues zu kaufen."
Die Angesprochene drehte den Kopf in seine Richtung und hob eine Augenbraue, während sich ihre dünnen Lippen zu einem gehässigen Lächeln verformten.
„Ach, wir haben kein Geld für ein neues Auto? Dann dürfte ich heute Abend wohl die einzige Frau auf der Party gewesen sein, deren Mann nicht in der Lage ist, seiner Gattin ein eigenes Auto zu bezahlen."
Max schüttelte den Kopf und musste sich bemühen, nicht ausfallend zu werden.
„Wahrscheinlich bist du auch die einzige Frau, deren Mann vor einem Jahr beim Reinigen der Dachrinnen von der Leiter gefallen ist und sich dabei so schwere Brüche zugezogen hat, dass er mehrere Monate im Krankenhaus liegen musste und daraufhin seinen Job verloren hat."
„Pah!", erwiderte Lea. „Reinigen der Dachrinnen! Ich schätze mal, dass die anderen Gäste heute dafür ihre Leu-

te haben und erst gar nicht in die blöde Situation kommen, auf so ein wackeliges Ding zu klettern."
Lea beschleunigte den kleinen Wagen erneut, und die Tachonadel näherte sich bedrohlich der 70-Stundenkilometer-Markierung.
„Bitte", flehte Max mit fast weinerlichem Unterton. „Schalte jetzt in den Dritten. Diese Belastung hält der Motor nicht lange durch." Doch Lea hörte nicht auf ihn und fuhr so schnell durch eine enge Kurve, dass das Auto fast von der Straße abgekommen und den steilen Hang hinuntergestürzt wäre.
„Sauf nächstes Mal nicht so viel, dann kannst du selber fahren, wenn dir mein Stil nicht gefällt", zischte sie dabei.
Max kochte vor Wut und Verzweiflung. Am liebsten hätte er seiner Frau ins Lenkrad gegriffen, um sie so zum Anhalten zu bewegen, doch er wusste, dass so eine Aktion auf diesen engen Straßen in den Bergen zu einer Katastrophe führen konnte. Zum Glück wurde die Steigung nun so stark, dass der Wagen von alleine wieder langsamer wurde.
„Ach ja, mein liebster Gatte", blaffte Lea nun. „Ich habe mich mit Marion und Daniela morgen früh zum Shoppen verabredet."
„Waren das die beiden arroganten Bussi-Schnepfen, die sich den ganzen Abend nicht von ihren Pelzmänteln und Prada-Täschchen trennen konnten?"
„Das waren Pelzstolen, keine Mäntel", ereiferte sich Lea herablassend. „Und nur damit du es weißt. Ich werde mir morgen auch so eine kaufen. Es gibt da in München ein Geschäft, das Räumungsverkauf hat."

„Das wirst du garantiert nicht tun", antwortete Max. „Wir haben für diesen Monat nur noch etwa 200 Euro. Damit müssen wir irgendwie hinkommen."
„Dann gehe ich halt zur Bank und hole mir was", erwiderte Lea schnippisch. „Heutzutage bezahlen sowieso nur noch Bauern in bar. Und wer weiß: Vielleicht begegnet mir in der Stadt ja ein attraktiver und interessanter Mann, der mir mehr zu bieten hat, als ein arbeitsloser KFZ-Mechaniker mit krummem Rücken und Erektionsproblemen."

***

Als sie das kleine Bergdorf erreicht hatten und Lea den Wagen vor der Garage mit dem verwitterten Holztor abgestellt hatte, atmete Max erleichtert aus. Er war völlig verschwitzt und zudem nüchterner als vor dem Fest bei diesen Neureichen unten im Tal, die Lea während einer ihrer wöchentlichen Golfstunden kennengelernt hatte, für die sie eigentlich längst kein Geld mehr hatten.
Während seine Frau bereits im Haus verschwunden war, stieg er wie erschlagen aus dem Auto, knallte die Tür zu und zog ein Päckchen Zigaretten aus der Tasche. Dann setzte er sich mit schmerzendem Rücken auf die warme Motorhaube, rauchte und schaute gedankenverloren abwechselnd zu den Sternen und zu den wenigen erkennbaren Lichtern im Tal.

***

Er wälzte sich schlaflos auf der Couch hin und her. Als er ins Haus gekommen war, hatte er sein Bettzeug im Wohnzimmer auf dem Boden vorgefunden. Das war Leas unmissverständliche Art ihm mitzuteilen, dass er im Schlafzimmer für den Rest der Nacht wieder einmal unerwünscht war.

Max war verzweifelt. Seit seinem Unfall, dem Krankenhausaufenthalt und dem Verlust seines Jobs war es in seinem Leben kontinuierlich bergab gegangen. Während Lea anfangs noch zu ihm gehalten hatte, veränderte sich ihr Wesen schlagartig, als sie beide realisierten, dass Max wegen der bleibenden Schäden wohl nie wieder in seinem alten Beruf würde arbeiten können und die Frühverrentung kaum noch aufzuhalten war.
Lea hatte wegen seines Berufes immer schon Minderwertigkeitskomplexe gehabt, vor allem nachdem sie ihn überreden konnte, sie in dem kleinen Golfclub anzumelden. Die Menschen, denen sie dort begegnete, fuhren ausschließlich schicke Cabriolets oder große SUVs, besaßen vorzeigbare Häuser in der Stadt und flogen mindestens zweimal im Jahr in den Urlaub.
Sie hingegen wohnten in einem Kuhdorf im heruntergekommenen Haus seiner verstorbenen Eltern und fuhren einen acht Jahre alten Golf.
Max erhob sich unter Schmerzen und schlurfte, krumm und gebeugt wie ein alter Mann, in die Küche. Er schaltete die Kaffeemaschine ein und lehnte sich gegen die Arbeitsplatte. Während das Wasser in der Maschine zart zu brodeln begann, sah er durch das Küchenfenster, und sein Blick fiel auf den alten Wagen, der noch immer vor der Garage stand.
„Verdammt“, murmelte er leise vor sich hin. „Dann fahr morgen doch zum Shoppen. Tust ja eh, was du willst.“

***

Lea stand vor der Couch und sah herablassend auf ihn hinunter.
„Wenn du wüsstest, wie erbärmlich du aussiehst. Während andere Männer arbeiten, liegst du wimmernd und dich selbst bemitleidend auf einem durchgesessenen Sofa und suhlst dich in deinem Unglück."
Max öffnete die Augen und blickte seine Frau an. Diese trug ihr bestes Kleid, hochhackige Schuhe und einen dunkelblauen Seidenschal. Er konnte sich noch genau daran erinnern, wie er ihr dieses sündhaft teure Accessoire zu ihrem ersten Hochzeitstag geschenkt hatte.
„Ich dachte, du wolltest nur zum Einkaufen", sagte er und erhob sich langsam. „Du siehst aus, als würdest du zu einer Hochzeit gehen."
Lea verzog den Mund.
„Ich denke, das ist der Unterschied zwischen uns beiden. Während du rumläufst wie der letzte Penner, achte ich noch auf mein Äußeres." Leas Stimme kam kalt und beinahe zischend zwischen ihren Lippen hervor. „Man muss es mir ja nicht sofort ansehen, dass ich mit einem arbeitslosen Krüppel und Totalversager verheiratet bin."

Max nickte ergeben und fast schon gleichgültig. Er kannte diese alltäglichen Ausbrüche und Gehässigkeiten seiner Frau, die nie einen eigenen Beruf erlernt hatte, jetzt schon seit Monaten. In diesen Momenten etwas zu erwidern, würde Lea nur noch wütender machen.
„Ach ja", fuhr diese fort. „Ich möchte, dass wir uns heute Abend einmal über unsere Zukunft unterhalten. Aktuell sehe ich nämlich keinen Grund, noch länger mit dir zusammenzuleben. Marion meinte gestern, dass sie für eine Frau mit meinem Aussehen und meinen Fähigkeiten in ihrer PR-Agentur ein großes Potential sehe."

Max atmete tief durch.
„Wenn du meinst", antwortete er leise. „Dann lass uns heute Abend reden."
Er stand unter Schmerzen auf und stöhnte vor Anstrengung. Lea verzog das Gesicht.
„Wenn du dich sehen könntest", spuckte sie die Worte beinahe aus. „Ich bin 34 Jahre alt und verschwende mein Leben in einer vermoderten Bleibe mit einem unbrauchbaren Mann, während das wahre Leben an mir vorbeizieht."

Max ging langsam ins Badezimmer, zog sich mühsam aus und betrat die Dusche. Als er den noch glitschigen und nassen Wannenboden mit dem ersten Fuß berührte, rutschte sein rechtes Bein plötzlich zur Seite. Er griff zwar noch reflexartig nach dem Duschvorhang, doch er konnte seinen Sturz nicht mehr verhindern. Und eine halbe Sekunde später war alles dunkel um ihn herum.

***

Sein Körper war ein einziger Schmerz. Sein Rücken, sein Kopf, seine Beine. Alles schrie, alles brüllte, alles jagte geschliffene, glühende Pfeile und Dolche in Richtung seines überforderten Gehirns. Und dieses Brummen, diese penetranten, tiefen Geräusche in seinen Ohren, in jeder Zelle seines geschundenen Daseins.

Max öffnete die Augen und brauchte ein paar Sekunden, bis er realisierte, wo er sich befand.
„Mal wieder wach?", drang die frostige Stimme seiner Frau in sein Bewusstsein. „Danke vielmals, dass du mir nicht nur mein komplettes Leben, sondern auch den

Shoppingtag versaut hast. Mit dir habe ich wirklich das große Los gezogen, du Loser."

Sie saßen im Golf. Er wieder einmal auf dem Beifahrersitz, Lea mit verzerrtem Gesicht, verkrampft, wütend, hinter dem Lenkrad. Und es ging auf den engen Gebirgsstraßen mit hoher Geschwindigkeit abwärts ins Tal.
Max sah an sich herab und stellte fest, dass er lediglich einen blutverschmierten Bademantel trug.

Die Leitplanken, die Bäume und Sträucher, die Häuser, die Strommasten rasten wie im Traum an Max vorbei, und er fühlte, wie die Panik und das kalte Grauen langsam aber sicher von ihm Besitz ergriffen.

Er begann zu zittern. Vergessen waren die Schmerzen, vergessen das tiefe Brummen in seinen Eingeweiden.
„Lea, könntest du ein wenig langsamer fahren?" Max berührte mit seinem rechten Zeigefinger vorsichtig eine verbundene, schmerzende Stelle an seiner Stirn. „Auf der anderen Seite der Straße geht es Hunderte von Metern in die Tiefe. Was ist überhaupt passiert?"
Lea lachte gehässig und kalt auf.
„Was passiert ist? Du bist in der Dusche ausgerutscht und mit deinem dämlichen, hohlen Kopf irgendwo gegengeschlagen. Und anschließend habe ich dich und deine 85 Kilogramm Totgewicht irgendwie ins Auto gebracht. Zum Glück warst du zumindest zwischenzeitlich für einzelne Sekunden in der Lage, eigenmächtig zu laufen. Sonst lägst du noch immer dort in diesem verschimmelten Badezimmer mit diesem vergammelten Duschvorhang. Gott, was für Asis haben im Jahre 2021 noch Duschvorhänge?"

Max hatte das Gefühl, als würde sich alles vor ihm drehen. Er fühlte sich wie in einem Strudel, der ihn immerfort in eine tiefe, unendliche Dunkelheit zog.
„Was tust du, Lea?“
„Was ich mache, du Hornochse? Ich bringe dich hinunter ins Tal. Ins Krankenhaus. Wir hatten bei uns mal wieder keinen Handyempfang.“ Sie beschleunigte den alten Golf auf einer kurzen Geraden und bremste danach wieder stark ab, um den Wagen um eine enge Kurve zu lenken. „Glaubst du, ich lasse dich da oben in unserem beschissenen Gemäuer krepieren, während ich zum Shoppen fahre? Das würde mir hinterher doch noch als unterlassene Hilfeleistung ausgelegt. Und dann käme ich nie von dir los. Außerdem hast du nicht einmal eine Lebensversicherung, im Gegensatz zu mir. Dein Ableben würde mir also gar nichts bringen.“
Auf Max` Stirn bildeten sich Schweißtropfen, und er musste sich bemühen, nicht zu hyperventilieren.
„Würdest du bitte mal rechts ranfahren, Lea. Mir ist nicht gut.“
„Vergiss es!“, blaffte die Angesprochene. „In zehn Minuten sind wir im Tal. Warum hast du gestern Nacht den Wagen eigentlich noch in die Garage gefahren? Habe eben mehrere Anläufe gebraucht, um das beschissene Tor aufzukriegen.“
Max zuckte hilflos mit den Schultern, während die Erinnerung ihn wie eine Bestie ansprang und zu zerfleischen versuchte.
Auf der nächsten geraden, steil abschüssigen Strecke beschleunigte Lea wieder. Die Tachonadel stand zitternd vor der 80-Stundenkilometer-Marke.
„Lea!“, flehte Max fast heulend. „Würdest du bitte …“

Doch Lea lachte nur. Es war ein teuflisches, gemeines Lachen, welches tief aus ihrer Seele zu dringen schien. „Hast du etwa Angst, du großer, starker Krüppelmann?“

Kurz vor der nächsten engen Kurve gefror ihr hämisches Grinsen jedoch abrupt und schlagartig, und auf Leas Gesicht war für einen kurzen Augenblick der Anflug von Angst, Ungläubigkeit, Überraschung und Panik zu sehen.

„Max!“, schrie sie außer sich, während das Auto mit unverminderter Geschwindigkeit auf die Kurve, die Leitplanken und den dahinterliegenden Abgrund zuraste.

„Irgendwas ist mit den Bremsen!“

Der arbeitslose KFZ-Mechaniker schloss die Augen, während sich ihm die Kehle zuschnürte und er kurz an seine nächtliche Aktion in der Garage dachte.

„Ich weiß“, flüsterte er kaum hörbar und resignierend, als der Wagen die Leitplanke durchbrach, komplett zerfetzte und anschließend in die Tiefe schoss.

Der Einbruch

Udo stoppte die Powerpoint-Präsentation und fuhr den Rechner herunter.
„So“, sagte er dabei, während er zu den etwa vierzig Teilnehmern seines 5-stündigen Präventionsseminares sah. „Dann bedanke ich mich herzlich für Ihre rege Teilnahme. Und entschuldigen Sie nochmals, dass es von Ihrer schriftlichen Anmeldung bis zur heutigen Veranstaltung so lange gedauert hat, aber das Interesse an diesem Thema ist derzeit so groß, dass wir es kaum schaffen, den Ansturm zu bewältigen.“
Er klappte den Laptop zu und verstaute ihn in seiner flachen Aktentasche.
„Und denken Sie immer daran: Jedes noch so kleine Hindernis, das Sie einem Einbrecher in den Weg legen, kann dazu führen, dass er das Interesse an Ihrer Wohnung oder Ihrem Haus verliert und sich wieder davon … stiehlt.“
Udo grinste, als er die da und dort zu vernehmenden Lacher registrierte.
„Also sparen Sie nicht an Beleuchtung, ordentlichen Fenstern und qualitativ hochwertigen Schließvorrichtungen. Jeder Cent, den Sie für Ihre Sicherheit ausgeben, ist ein gut investierter Cent. Und halten Sie stets die Augen offen. Werden Sie skeptisch, wenn Sie fremde Autos in Ihrer Straße sehen oder Personen, die Ihnen auffällig erscheinen. Und noch etwas: Vertrauen Sie niemandem!“

***

Er spürte schon beim Betreten des Treppenhauses, dass irgendetwas nicht in Ordnung war. Wahrscheinlich war es sein Instinkt, der sich im Laufe seiner langjährigen

Tätigkeit als Polizist so fein und außerordentlich entwickelt hatte, dass er ihn Gefahren und ungewöhnliche Situationen schon erkennen ließ, bevor sie überhaupt entstanden. Udo erklomm die Stufen bis in den ersten Stock, schloss die Wohnungstür auf und erstarrte.
Vor ihm im Flur lagen mehrere seiner Jacken achtlos hingeworfen auf dem Teppich. Und während er vorsichtig die ersten Schritte in das Chaos aus herausgerissenen Schubladen und offenen Schranktüren wagte, fühlte er den leichten Luftzug, der aus Richtung Wohnzimmer und der aufgebrochenen Balkontür kam.

***

Er saß auf der Couch, rauchte und tippte eine Nummer in sein Handy ein. Die Stimme, die sich wenige Sekunden später meldete, hatte einen starken osteuropäischen Akzent.
„Ja, ich bin`s! Seid ihr eigentlich bescheuert?"
Der Mann am anderen Ende der Leitung schwieg einen Moment, ehe er antwortete:
„Was soll das denn jetzt? Wir haben alles so durchgezogen, wie wir es besprochen hatten und sechs Wohnungen geschafft."
„Du Arschloch!", erwiderte Udo wütend und drückte die Zigarette aus. „Vielleicht hättet ihr euch die Namen auf der Teilnehmerliste mal etwas genauer anschauen sollen. Die erste Adresse war nämlich meine."

Abschied

Rosi hielt die Luft an und lauschte angestrengt in die Dunkelheit hinein. Gustaf schien tief und fest zu schlafen. Dann und wann schnarchte er sogar ein wenig. Das Schnarchen klang dabei immer gurgelnd und ungesund.
Kein Wunder, dachte sie. Das Arschloch hat ja auch wieder mal eine ganze Flasche Schnaps intus.
Sie erhob sich vorsichtig, schlüpfte lautlos unter der Bettdecke hervor und befand sich Sekunden später bereits an der Schlafzimmertür. Sie öffnete sie, trat im verwaschenen und ausgeleierten Mickey-Maus-Pyjama in den Flur und atmete tief durch.
Im Badezimmer zog sie die vorbereitete Plastiktüte mit ihren Kleidungsstücken, den sonstigen Klamotten und dem während der letzten Wochen zur Seite gelegten Geld aus der Trommel der Waschmaschine und begann damit, sich blitzschnell und fast völlig geräuschlos anzuziehen.
Anschließend betrachtete sie ihr Gesicht im Spiegel über dem Waschbecken. Die Platzwunde über der Stirn, die Gustaf ihr vor einigen Tagen im Suff zugefügt hatte und die mit acht Stichen genäht werden musste, schimmerte in den unterschiedlichsten Blau-, Gelb- und Rottönen.

***

„Was ist denn mit Ihnen passiert?“, fragte der Mediziner in der Notaufnahme des Krankenhauses und machte sich, gemeinsam mit der Krankenschwester, direkt ans Werk.
Nach einem flüchtigen Blick auf den noch immer sehr stark angetrunkenen Gustaf, der einen auf besorgter und fürsorglicher Ehemann machte und mit verschränkten

Armen an einer viel zu weißen Wand lehnte, antwortete Rosi zögerlich:
„Ach, ich habe die Küche gewischt, bin auf dem nassen Boden ausgerutscht und mit dem Kopf auf die Arbeitsplatte geknallt.“ Während der Arzt die blutige Wunde säuberte, runzelte er die Stirn.
„Sie wischen am Wochenende um drei Uhr in der Nacht die Küche?“
„Wird das hier ein Verhör?“, platzte es in diesem Augenblick lautstark aus Gustaf heraus. „Verdammt noch mal! Wollen Sie etwa andeuten, meine Frau lügt?“
Der Arzt, ein junger und irgendwie nett aussehender Mann Anfang dreißig, zuckte leicht zusammen. Er räusperte sich und flüsterte fast:
„Natürlich nicht. Ich finde es halt nur … ungewöhnlich.“
Bevor Gustaf erneut etwas sagen konnte, meldete sich Rosi zu Wort.
„Wir hatten Freunde bei uns zuhause, und wir haben in der Küche Longdrinks gemixt. Caipirinha und so, Sie wissen schon.“ Sie setzte ein unschuldiges Lächeln auf und zwang sich sogar, trotz der höllischen Kopfschmerzen ein wenig zu kichern. „Es war echt ein schöner und witziger Abend. Total … friedlich und so. Kein einziges lautes Wort. Na ja, und einmal war der Shaker, den wir zum Mischen der Drinks benutzt haben, nicht richtig zugedreht, und da ist uns die ganze Suppe durch die Küche gespritzt.“ Sie kicherte nun noch mehr. Fast wirkte sie dabei wie ein kleines Kind. „Die Fliesen waren danach so was von klebrig. Wegen dem Zucker und so.“
„Und als unser Besuch weg war, hat meine Frau halt noch kurz gewischt, damit sie es morgen nicht machen muss!“, bellte Gustaf aggressiv aus seiner Zimmerecke.

„Ist die Geschichte jetzt immer noch so … ungewöhnlich?“
Der junge Arzt zuckte mit den Schultern, während die Krankenschwester, eine etwas ältere Frau mit bereits ergrauten Haaren, keine Reaktion zeigte und nur stumm auf Rosis Wunde starrte.
„Natürlich nicht, Herr Pischko. Das hätte ich genauso gemacht.“
„Dann wäre ja alles geklärt“, blaffte Gustaf wie ein besoffener Feldherr. „Dann können Sie Ihr kindisches Detektivspiel jetzt beenden und sich endlich wieder um meine verletzte Frau kümmern.“
„Natürlich“, stotterte der junge Mediziner. „Natürlich.“

***

Sie befeuchtete ein Wattepad und tupfte vorsichtig über die Naht, während sie schmerzerfüllt den Mund verzog. Tränen schossen ihr in die Augen, und Rosi biss sich tapfer auf die Lippen.
Dann griff sie nach der großen Plastikmülltüte.
Verdammt, schoss es ihr durch den Kopf. Ich werde nächste Woche dreißig Jahre alt, und alles, was ich besitze, passt in eine beschissene Mülltüte.
Scheiß Müllleben.

***

Er stand an der Theke und sah so aus, als gehöre sie ihm alleine. Er trug weite, tief hängende Jeans und ein extrem cooles Nike-Shirt. Seine Haare waren lang und glänzten irgendwie ölig. Rosi hatte bemerkt, dass er nicht mehr ganz nüchtern war, aber sie hatte auch bemerkt, dass er

sie schon seit nunmehr fast 30 Minuten unentwegt angelächelt hatte. Gut, er war mindestens zehn Jahre älter als sie, aber sagte man nicht immer, dass man auf alten Schiffen das Segeln lernt? Sie ließ ihre beste Freundin einfach stehen, gesellte sich zu ihm, grinste unschuldig, zog sich einen Barhocker herbei und kletterte leicht unbeholfen hinauf.
„Ich bin Rosi."
Der Kerl fuhr sich mit seiner mehrfach beringten Hand durchs Haar, und während er lächelte, schmolz Rosi dahin.
„Erzähle mir was Neues, Baby. Denn deinen Namen kenne ich schon seit dem Moment, wo ich dich hier eben zum ersten Mal gesehen habe."
Er steckte sich lässig eine Zigarette zwischen die Lippen und zündete sie mit einem echten amerikanischen Zippo an. Danach legte er den Kopf in den Nacken und ließ kleine, wabernde Rauchkringel emporsteigen. Rosis Augen begannen zu glänzen. Oh Gott, dachte sie. Der Typ sieht aus wie dieser Hauptdarsteller aus „Dirty Dancing". Und er hat mich Baby genannt. Wie süß.

In diesem Augenblick trat ein junger Mann von der Seite auf Rosi zu und berührte sie sachte und beinahe ängstlich an der Schulter.
Die frischverliebte 20-Jährige drehte den Kopf.
„Hallo, ich bin Tony", entfuhr es dem Jungen zögerlich. „Hast du Lust, mit mir zu tanzen?"
Die Musik dröhnte und wummerte hier an der Theke nicht ganz so laut wie auf der Tanzfläche und im übrigen Laden, doch Rosi hatte den Jungen, der etwa in ihrem Alter war, dennoch nicht verstanden.
„Was hast du gesagt?"

Die Gesichtsfarbe des Jungen veränderte sich ein wenig. Sie wechselte im grellen Diskolicht von zart, pickelig und natürlich ins Blasse.
„Äh, ich wollte fragen …“
Weiter kam er nicht.

Der rauchende Patrick Swayze warf seine Kippe achtlos auf den Boden, trat an den Jüngling heran und schlug ihm ohne Vorwarnung so heftig mit der geballten Faust gegen das Kinn, dass dieser binnen eines Wimpernschlages ohnmächtig zu Boden ging. Anschließend legte Patrick Swayze lässig einen Fünfziger auf die Theke, ergriff Rosis Hand und zog sie aus dem überfüllten Tanzschuppen.
„Komm mit, Baby!“, raunzte er im Gehen. „Du gehörst zu mir! Und zwar für immer.“
Rosi wusste nicht, was sie sagen, tun sollte.
„Aber, was ist mit meiner Freundin?“
Der Typ sah sie nicht einmal an, während er meinte:
„Vergiss sie!“

***

Zurück im Flur warf sie sich ihre gesteppte Winterjacke über die Schultern, griff nach dem Schlüsselbund und suchte nach dem Wohnungsschlüssel. Doch so sehr sie sich auch bemühte, sie konnte ihn nicht finden. Verzweifelt probierte sie jeden einzelnen Schlüssel aus, doch ihr Verstand hatte ihr längst signalisiert, dass sich der gesuchte nicht an dem verblassten Ring befand. Sie legte die Plastiktüte ab und versuchte verzweifelt, die Tränen zurückzuhalten, die ihr erneut in die Augen traten.

Hatte sie sich verraten? Hatte Gustaf tatsächlich geahnt, dass sie ihn verlassen wollte? Dass sie nach so vielen Jahren endlich die Entscheidung getroffen hatte, aus diesem Martyrium auszubrechen, um irgendwo ohne ihn ein neues Leben zu beginnen?
Sie ging in die Küche und durchstöberte sämtliche Schränke, Ablagen und Regale. Nichts!
Zitternd wagte sie sich ins Wohnzimmer, doch auch hier blieb ihre Suchaktion erfolglos.

Hatte Gustaf den Schlüssel etwa in seiner Hosentasche?
Sie schlich zurück ins Schlafzimmer. Es war stockdunkel, doch Rosi benötigte kein Licht. Sie fand den schäbigen Sessel, auf dem Gustaf abends seine Kleidung ablegte, griff in die Hosentaschen seiner Jeans und hätte vor Wut und Enttäuschung fast aufgeschrien, als sie nur ein paar Münzen und sein altes Taschenmesser ertastete. Sie zog es heraus und ließ es in ihre Jackentasche gleiten. Danach schlich sie zurück in die Küche.

***

Am Anfang war Gustaf Patrick Swayze Rosis Held. Er arbeitete als Schweißer, hatte stählerne Arme, kannte jede Disko und jede Bar in der Stadt, hatte Hanteln unter dem Sofa liegen und war im Bett eine wahre Sensation. Er unterstützte sie sogar in ihren schlechten Zeiten. Als sie Stress mit ihrer Familie hatte, als sie die Prüfung zur Einzelhandelskauffrau vermasselte und als sie schließlich sogar Hartz IV beantragen musste.
Immer war er an ihrer Seite.

Er nahm sie bei sich auf, und gemeinsam suchten sie sich bei IKEA ein gemeinsames Bett aus.
Sie teilten ihre Schränke, ihre Wohnung, ihre Toilette, ihre Träume miteinander.

Kinder, eine neue, größere Wohnung mit kleinem Garten, vielleicht irgendwann einen gebrauchten Wohnwagen mit Vorzelt. Sie hatten nicht nur Träume, sondern auch konkrete Vorstellungen.
Sie waren nicht reich, doch sie kamen zurecht. Und nach zwei Jahren heirateten sie. Gemeinsam mit vier Freunden an einem regnerischen, kalten Freitag im Februar. Ohne Familie, ohne Pastor.
Aber mit viel Liebe.

Doch bereits wenige Wochen später schlug das Schicksal erbarmungslos zu. Gustaf verlor seinen Job, nachdem er einen Vorgesetzten während einer Spätschicht beleidigt und bedroht hatte. Die Firma hatte sogar Anzeige bei der Polizei erstattet.
Innerhalb weniger Monate verwandelte sich der selbstbewusste Dirty Dancing Tänzer in ein Wrack. Gustaf trank und rauchte viel zu viel, haderte mit seinem Leben, lungerte nur noch stumm und antriebslos auf dem Sofa herum, schaute anspruchslose Reality-Shows und verbrannte eingegangene Absageschreiben von verschiedenen Firmen und Unternehmen im Aschenbecher auf dem Wohnzimmertisch.

Drei Monate nach seiner Kündigung schlug Gustaf Rosi zum ersten Mal. Sie hatte eine Nudelsauce anbrennen lassen, weil sie ihm bei einer Bewerbung am Computer geholfen hatte. Als er den dunklen Bodensatz sah, holte

er wortlos und ohne Vorwarnung aus und schlug ihr mit der Faust ins Gesicht.
Er hatte sich direkt bei ihr entschuldigt, sie in den Arm genommen und ihr bei Amazon ihr Lieblingsparfum bestellt, doch Rosis Welt hatte Risse bekommen.
Gewaltige Risse, Gräben, Krater und Schluchten, die in tiefe Höhlen und in die Dunkelheit führten.

***

Im Kopf spielte sie, am Küchentisch sitzend, ihre Möglichkeiten durch. Sie lebte mit ihrem gewalttätigen Mann im achten Stock, zudem hatten sie keinen Balkon. Eine Flucht aus einem der Fenster käme also nicht in Frage.
Sollte sie einfach die Polizei rufen?
Sie könnte den Beamten die Wahrheit erzählen, und diese würden sie vielleicht in ein geheimes Frauenhaus bringen. Oder sollte sie bis zum morgigen Tag warten, um ihre Flucht dann in einem günstigen Moment zu wagen?
In diesem Augenblick hörte sie ein Geräusch. Es schien aus dem Schlafzimmer zu kommen.
Sie zuckte zusammen, die Angst schoss in jede Faser ihres zu dünnen Körpers, in jede Zelle. Und plötzlich bildete sich kalter Schweiß auf ihrer Stirn.
Hastig stand sie auf, der Holzstuhl rutschte über die sauberen Fliesen.

Und dann stand er in der Tür.
Er trug nur eine alte graue Boxershorts. Sie war einmal schwarz gewesen.
In seiner linken Hand hielt er den großen Müllsack mit ihren Habseligkeiten, seine Augen versprühten Hass und Gewalt.

„Was wird das hier?“, brüllte er schließlich, wobei er sich keinen Zentimeter von der Stelle bewegte. „Ich habe gefragt, was das hier wird, du blöde Kuh!“ Rosi begann zu zittern, machte ein paar Schritte rückwärts und stieß mit dem Rücken gegen den Kühlschrank.
„Ich, ich …“, stotterte sie unbeholfen, wobei sie ihre bebenden Hände in die Jackentaschen stopfte, damit er sie nicht sah.
Gustaf stand noch immer wie versteinert im Türrahmen. Dann griff er blitzschnell mit der zweiten Hand zum Müllbeutel, drehte diesen herum und schüttete den gesamten Inhalt auf den Küchenboden. Danach starrte er noch wutentbrannter auf die Kleidungsstücke, die Hygiene- und Kosmetikartikel, das Ladegerät von Rosis Handy, ihre Geldbörse, den dünnen Schnellhefter mit ihren wichtigsten Unterlagen, das alte Fotoalbum, die einzelnen Müsliriegel, die Flasche Wasser.
„Ich habe es gewusst! Ich habe es schon seit Tagen gewusst! Ich habe den Wohnungsschlüssel nicht ohne Grund seit einigen Nächten unter meinem Kopfkissen, du Bitch.“ Seine Stimme war mittlerweile mehr ein Wispern, ein kaltes Zischen.
Rosi drückte sich noch stärker gegen den Kühlschrank.
„Gustaf, lass mich …“
„Lass mich was?“, schrie dieser, und endlich bewegte er sich auf seine Frau zu. Seine Frau, die zitternd, schwach, verängstigt und wie ein Häufchen Elend in seiner Küche stand. Und er empfand in diesen Sekunden nichts als blanke Wut.
„Soso, mein Baby will also weg von mir. Will mich verlassen!“ Er kam langsam näher, während Rosi heftig zu weinen begann.

„Hast wohl einen neuen Stecher, was?“, brüllte Gustaf weiter wie von Sinnen. „Wahrscheinlich einen mit mehr Geld, einem schicken Auto und ´ner teuren Penthousewohnung!“

Er war nur noch wenige Schritte von Rosi entfernt. Seine Augen wirkten durch die Wut, den Alkohol und den Schlaf schmal und blutunterlaufen.
„Willst du wissen, was mit Verräterinnen, mit so blöden Schlampen wie dir passiert?“
Nun trennten die beiden Menschen nur noch zwei Meter.
Rosi weinte und schluchzte immer verzweifelter, immer lauter. Vielleicht würden ja einige Nachbarn aufmerksam werden, vielleicht die Polizei rufen.
Obwohl, hatten die Nachbarn während der letzten Monate und Jahre jemals etwas gehört oder die Polizei gerufen?
Natürlich nicht.

Auf einmal registrierte und realisierte sie, was die Finger ihrer rechten Hand während der letzten zwei Minuten unbewusst umklammert gehalten hatten. Mit dem Mut der Verzweiflung zog sie Gustafs Messer aus der Tasche und schaffte es trotz ihrer zittrigen Finger, es zu öffnen.
Ihr Ehemann erstarrte, verharrte für einen Moment und schaute ungläubig auf seine Frau, die nun mit einem gezückten Messer vor ihm stand.
Dann grinste er hinterhältig und fuhr sich mit einer Hand durch seine ungestylten, wirren Haare.
„Ich glaube es nicht“, flüsterte er schließlich gefährlich leise. „Ich glaube es einfach nicht. Meine Schlampen-Frau bedroht mich mit meinem eigenen Messer in meiner eigenen Wohnung.“

Und dann warf er sich wie ein Tier brüllend auf Rosi, die einen überraschten, angstvollen und spitzen Schrei ausstieß. Gemeinsam fielen sie schwer zu Boden, stießen dabei einen Küchenstuhl um und bildeten bereits nach wenigen Sekunden ein menschliches, scheinbar zusammengewachsenes pulsierendes Knäuel. Und sie kämpften, schrien, heulten und bewegten sich auch noch miteinander, ineinander, als der Boden in der Küche längst komplett blutverschmiert war.

***

Rosi erhob sich und stützte sich mit den Händen auf dem Küchentisch ab. Gustaf regte sich nicht mehr. Er lag leblos in einer sich stetig ausbreitenden Blutlache. Die Schnitte und Stiche, die sie ihm zugesetzt hatte, schienen sie anzulächeln, während hier und da noch etwas Blut aus ihnen trat.

Langsam und unter Schmerzen stopfte sie ihre Sachen zurück in den Müllbeutel und warf ihn sich über die Schultern. Danach langte sie nach dem Messer, das noch auf den schmierigen Fliesen lag. Sie klappte es zusammen und ließ es wieder in ihrer Jackentasche verschwinden. Anschließend löschte sie das Licht in der Küche, wankte ins noch immer dunkle Schlafzimmer, fand den Schlüssel unter Gustafs Kopfkissen, schlich zurück in den Flur, schloss die Wohnungstür auf, schaltete auch das Flurlicht aus, trat ins Treppenhaus, zog die Tür hinter sich zu, betätigte den Lichtschalter unter ihrer Wohnungsklingel und stolperte auf die Treppe zu, da der Aufzug den Bewohnern des Hochhauses bereits seit Tagen seinen Dienst verwehrte. Die Treppe, die sie in die Freiheit, in ein neues Leben bringen würde.

Nachdem sie die ersten beiden Stufen hinter sich gebracht hatte, brach sie schließlich zusammen und stürzte wie ein toter, gefällter Baum wuchtig in die Tiefe. Unten, am Fuß der Treppe, blieb sie regungslos liegen. Der Müllbeutel lag neben ihr, einige Kleidungsstücke schauten heraus.
Rosi presste sich mit letzter Kraft die rechte Hand auf die blutige Stelle an ihrem Bauch, wo sich ein dunkler Fleck immer weiter auf ihrem hellen Shirt ausbreitete.

„Ich habe es geschafft“, flüsterte sie und schloss die Augen.

Selbstmordhilfe

Jan ging langsam und vorsichtig auf den Mann zu, der in gebeugter Haltung auf der schmalen Dachumrandung des Hochhauses saß und die Beine in die Tiefe gestreckt hatte. Als dieser seine Schritte hörte, drehte er den Kopf und fing am ganzen Körper an zu zittern.
„Kommen Sie keinen Schritt näher, sonst springe ich."
Jan hob besänftigend seine Hände.
„Ganz ruhig. Ich möchte mich nur drei Minuten mit Ihnen unterhalten. Danach können Sie von mir aus gerne springen."
Der Mann verrenkte sich beinahe den Hals, um den Ankömmling besser sehen zu können.
„Wie bitte?"
Jan kam noch ein paar Schritte näher und blickte vorsichtig über den Rand des Daches in die Tiefe. Unten auf der Straße sah er Einsatzfahrzeuge der Feuerwehr, der Polizei und zudem drei Krankenwagen. Er würde niemals begreifen, warum immer gleich mehrere Krankenwagen und direkt ein Dutzend Sanitäter zur Stelle waren, wenn irgendwo ein einzelner Kerl auf einem Dach herumstand und damit drohte, den unter sich befindlichen Asphalt zu versauen. Wären da Mitarbeiter der städtischen Straßenreinigungsbetriebe mit ihren wuchtigen Kehrfahrzeugen nicht viel angebrachter und sinnvoller?

Der Mann starrte ihn noch immer ungläubig, verwirrt und mit verdrehtem Hals an.
„Was haben Sie eben gesagt?"
Jan, dem in luftigen Höhen zumeist ein wenig schwindelig wurde, trat rasch vom Rand des Abgrundes zurück

und ging, etwa einen Meter von dem Mann entfernt, in die Hocke.
„Ich bat Sie darum, dass Sie da erst runterspringen, nachdem wir ein wenig gequatscht haben."
Der designierte Selbstmörder verzog das Gesicht.
„Warum? Ich lasse mich auf keinen Fall von Ihnen umstimmen. Ich bin wild entschlossen."
Jan seufzte laut auf.
„Sie sollen sich von mir auch gar nicht umstimmen lassen. Ich verspreche Ihnen, dass ich es noch nicht einmal versuchen werde. Ich will nur, dass Sie etwas warten."
Der Mann blickte noch verwunderter aus der Wäsche.
„Sie sind nicht hier, um mich zu retten?"
„Nö!", erwiderte Jan wortreich und begann damit, in seiner Jackentasche zu kramen. Schließlich zog er eine Zigarettenpackung hervor und öffnete sie.
„Scheiße!", entfuhr es ihm, als er realisierte, dass die Packung leer war. „Hätten Sie wohl mal ´ne Fluppe für mich?"
Der Mann schüttelte den Kopf, zog aber schließlich dennoch umständlich einen Tabakbeutel aus der Hosentasche. Die seltsamen Bewegungen, die er dabei vollführte, lösten 70 Meter unter ihm betriebsame Hektik, zahlreiche Schreie und Rufe aus. Er betrachtete den Beutel und wollte ihn gerade zu Jan hinüberwerfen, als dieser einen Zeigefinger hob.
„Äh, könnten Sie mir wohl eine drehen? Ich krieg das nie hin. Wenn ich das mache, sehen die Dinger anschließend aus wie weiße, labberige Regenwürmer."
Der Selbstmörder in spe schnaufte verächtlich.
„Aber das Rauchen schaffen Sie gleich alleine, ja?"
Jan legte den Kopf auf die Seite.

„Denke schon. Aber machen Sie die Zigarette nicht zu fest. Ich mag es nicht, wenn ich so stark saugen muss."
Der Mann begann mit dem Drehen der Zigarette.
„Ach, wie war das eben nochmal?", murmelte er dabei. „Sie wollen mich gar nicht retten?"
„Richtig!", erwiderte Jan aus voller Brust.
„Aber sind Sie nicht von der Polizei?"
„Doch, doch", meinte Jan emsig. „Aber das muss ja nicht bedeuten, dass ich Sie retten möchte. Es würde mir, ehrlich gesagt, sogar recht gut gefallen, wenn Sie jetzt gleich springen würden – also, nachdem Sie mir eine Lulle gekurbelt haben natürlich."
Der Mann drehte sich noch weiter zu Jan um und warf ihm die fertige Zigarette zu.
„Hier, bitte sehr."
Jan fing die Kippe wortlos auf, steckte sie sich zwischen die Lippen, zündete sie an und inhalierte tief. Dann meldete sich der Lebensmüde wieder zu Wort.
„Um unser bisheriges Gespräch noch einmal zusammenzufassen: Sie möchten also, dass ich springe, um meinem Leben ein Ende zu setzen?"
„Jawohl!", meinte Jan, während ihm dichter Rauch aus Mund und Nase quoll.
„Aber warum?", wollte der Mann am Abgrund wissen.
Jan dachte einen Augenblick nach. Schließlich antwortete er:
„Weil ich damit ein Zeichen setze."
„Ein Zeichen?"
„Jawohl!", wiederholte sich Jan und zog erneut an der Zigarette. „Wissen Sie, ich habe vor elf Jahren mal ´ne Ausbildung für solche Situationen hier gemacht. Die hat zwei Monate gedauert."
Der Mann zuckte mit den Schultern.

„Na und?“
„Seitdem habe ich immer angeregt, dass ich die Ausbildung mal wieder auffrischen müsste, was mir aus Kostengründen jedoch immer untersagt wurde. Wissen Sie, die Techniken und Vorgehensweisen in Bezug auf Krisengespräche mit Geiselnehmern, Straftätern unter Druck und Selbstmordkandidaten haben sich während des letzten Jahrzehnts grundlegend verändert. Man macht das heute ganz anders. Man zwingt mich aber dazu, mit völlig veralteten Methoden zu arbeiten, nur weil der Staat Geld sparen will. Und wer bezahlt am Ende die Rechnung? Ich sag es Ihnen: Der kleine Mann auf dem Dach … äh, oder besser formuliert, der auf der Straße.“
Der Fremde nickte verstehend.
„Und jetzt wollen Sie, dass ich mich da runterstürze, damit Sie Ihren Kollegen und Vorgesetzten sagen können, dass Sie mich mit einem Auffrischungsseminar unter Umständen dazu gebracht hätten, nicht zu springen?“ Jan nickte und drückte die Zigarette auf der Teerpappe des Daches aus.
„Richtig!“
„Das heißt, dass Sie grundsätzlich schon gewillt sind, Menschen davon abzuhalten, in den Tod zu springen?“
Jan grunzte zustimmend.
„Natürlich! Nur eben Sie nicht. Sie sollten unbedingt springen. Ich hatte schon ziemlich lange keinen Selbstmörder mehr, der mich so dicht an sich herangelassen hat und bei dem ich beweisen konnte, dass meine Methoden von gestern sind. Die Lulle hat übrigens fürchterlich geschmeckt. Werde nie verstehen, wie man so ein Kraut rauchen kann.“

„Tut mir leid. Wenn ich das nächste Mal auf ein Dach steige, um mich umzubringen, besorge ich vorher ordentliche Filterzigaretten.“
„Nichts da!“, brach es aufgeregt aus Jan heraus. „Sie klettern niemals mehr auf ein Dach. Sie springen da nämlich jetzt runter, und zwar zügig.“ Der Mann riss die Augen auf.
„Ich mache was?“ Jan rollte genervt mit den Augen.
„Ich will Sie wirklich nicht drängen, aber es wäre toll, wenn Sie jetzt mal so langsam aktiv werden würden. Schließlich sind Sie ja genau zu dem Zweck hier hochgekommen. Wenn Sie noch länger warten, haben die da unten ihr Sprungtuch ausgebreitet, und alle Mühen und Hoffnungen meinerseits waren umsonst.“ Der Mann schüttelte den Kopf.
„Ich enttäusche Sie ja nur äußerst ungern, aber das Sprungtuch ist bereits einsatzbereit.“ Jan stand auf und ging ein wenig zögerlich bis zum Rand des Daches. Anschließend lief er sofort wieder ein paar Meter zurück.
„Mist!“, meinte er dann leicht verärgert. „Da hilft wohl nur noch ein Täuschungsmanöver.“
„Ein Täuschungsmanöver?“
„Genau!“, stimmte Jan dem Mann zu. „Sie stellen sich an den Rand des Daches, sehen zu, dass sich die Feuerwehrleute mit dem Tuch genau unter Ihnen positionieren, laufen danach schnell zu einer anderen Stelle, die mindestens zehn bis fünfzehn Meter entfernt ist, und springen direkt und ohne weitere Vorwarnungen und theatralische Monologe in die Tiefe.“
„Und dann?“ Jan legte eine gleichgültige Miene auf.
„Dann zerplatzen Sie auf der Straße wie eine reife Wassermelone und haben gewonnen – halt wie gewünscht.“

Der Mann hielt einen Moment lang inne. Irgendwann sagte er:
„Okay, so könnte das klappen. Aber ist es nicht gefährlich, so direkt an der Dachkante entlang zu hechten? Stellen Sie sich nur vor, ich trete mit einem Fuß daneben und rutsche ab.“ Jan nickte verstehend.
„Das ist in der Tat gefährlich, denn die Feuerwehr wäre so unter Umständen noch in der Lage, Sie aufzufangen. Außerdem könnten Sie auf die Kante knallen und sich ganz böse verletzen.“ Er kratzte sich am Kinn. „Aber da fällt mir noch was anderes ein. Sie gehen zum Rand, schauen sich genau an, wo die Feuerwehrleute sind, gehen zurück zur Mitte des Daches, nehmen kräftig Anlauf und springen an einer völlig anderen Stelle herunter. Dann haben Sie den Überraschungsmoment auf jeden Fall auf Ihrer Seite.“ Der Fremde lächelte erleichtert.
„Super! Danke für den guten Vorschlag. Haben Sie sonst noch wertvolle Tipps für einen wie mich?“
„Ja“, entgegnete Jan. „Schließen Sie den Reißverschluss Ihrer Jacke bis oben hin.“
„Warum?“, fragte der Andere irritiert.
„Hm, wie drücke ich es am besten aus?“, meinte Jan mit einem angedeuteten Lächeln im Gesicht. „Okay. Stellen Sie sich mal vor, Sie werfen ein rohes Ei von diesem Dach.“ Er machte eine bedeutungsvolle Pause und fuhr fort: „Und nun stellen Sie sich vor, Sie stecken das Ei vor dem Hinunterwerfen in eine Plastiktüte, die Sie fest verschließen. Kapiert?“
„Nicht so ganz.“
„Nun, das Ei ohne Tüte verteilt sich bei dieser Höhe gleichmäßig über eine Fläche von etwa drei bis vier Quadratmetern. Nun können Sie sich ausrechnen, was ein

Mann Ihrer Statur da unten für eine Sauerei verursacht, wenn er in keiner Tüte steckt.“
„Wollen Sie damit andeuten, ich wäre fett?“
„Natürlich nicht!“, beschwichtigte der Polizist. „Da habe ich mich wohl falsch ausgedrückt.“
Der Mann am Abgrund formte die Augen zu kleinen Schlitzen.
„Na gut. Es sei Ihnen verziehen. Und die Jacke hat dieselbe Wirkung wie die Plastiktüte?“
„Richtig!“, antwortete Jan und grinste wieder. „Die hält die fliehende und explodierende Masse sozusagen ein wenig zusammen. Ist für die Jungs und Mädels da unten wesentlich angenehmer. Ansonsten müssten sie Sie anschließend mit Löffeln und Lappen vom Boden kratzen beziehungsweise wischen. Und ich sag Ihnen was: Das ist eine äußerst unangenehme Tätigkeit. Vor allem, wenn die Jungs und Mädels gerade noch zu Tisch waren. Sie wissen schon: Abendbrot und so.“
Der Fremde zog den Reißverschluss seiner Jacke tatsächlich bis unters Kinn, während Jan noch etwas einfiel.
„Und achten Sie während des Sprunges darauf, nicht so ein blödes Gesicht zu machen.“ Der Mann zog die Stirn kraus, schürzte die Lippen und machte ein ziemlich blödes Gesicht.
„Warum das denn?“
„Wegen der Videos, die anschließend auf YouTube veröffentlicht werden. Wäre doch schade, wenn Sie mit blödem Gesicht zum Internetstar würden.“
„Ich verstehe nicht ein Wort, Sie Anti-Lebensretter.“
„Na, da unten stehen mindestens zwanzig gelangweilte Jugendliche der No-Future-Generation mit Smartphones rum. Was denken Sie, was die mit den Teilen anstellen,

wenn Sie einen auf Wellensittich machen und Ihren Flug beginnen?“ Der Mann wirkte verunsichert.
„Sie meinen, sie werden mich filmen?“
„Tja“, erwiderte Jan. „Die Welt ist verrückt und krank.“
Der Mann schüttelte energisch den Kopf.
„Dann mach ich das nicht. Ich will dabei nicht gefilmt werden. Auf gar keinen Fall.“ Jan hob resignierend beide Arme in die Luft.
„Mein Gott, das gibt es doch wohl nicht. Sind Sie ein sturer Bock.“ Er ging zum Rand des Daches, sah hinunter und schrie:
„Hey, ihr mickrigen Playmobilmännchen da unten! Sorgt mal dafür, dass alle ihre Handys wegstecken, okay? Der Typ hier springt sonst nämlich nicht!“
Der Mann vernahm eine gedämpfte Antwort, verstand aber nicht, was gesagt wurde. Jan drehte sich zu ihm um.
„Die Handys sind weg. Sie können!“ Der Mann strahlte.
„Danke!“
„Keine Ursache“, kommentierte Jan gnädig und großväterlich. „Apropos Ursache: Hätten Sie was dagegen, mir Ihre Uhr zu schenken?“
Dem Mann fielen fast die Augen aus dem Kopf.
„Wie bitte?“
„Ihren Chronografen. Was meinen Sie, wie der nach dem Aufprall aussieht?“
„Ich schätze mal, der ist dann kaputt.“
„Eben! Das wäre doch jammerschade. Der scheint doch ziemlich was wert zu sein, oder?“
„Keine Ahnung, war ein Geschenk von meiner Frau, äh, Ex-Frau.“
„Sitzen Sie wegen der hier so dämlich rum und wollen sich das Leben nehmen?“
„Ja! Sie hat mich vor einer Woche verlassen.“

„Dann ist es auf jeden Fall besser, Sie geben mir die Uhr vor Ihrem Abflug. Lösen Sie sich von allem, was mit der Alten zu tun hat. Stellen Sie sich nur mal vor, Sie sind hinüber und das olle Ding würde noch funktionieren. Wie Scheiße wäre das denn?"
„Ich möchte Ihnen die Uhr aber nicht geben. Da stecken viele Erinnerungen drin."
„Erinnerungen? Mann, Sie sind in ein paar Minuten Matschepatsche mit Kartoffelbrei. Denken Sie, dass Sie sich dann noch an vieles erinnern können?"
„Trotzdem."
„Meine Güte, sind Sie kompliziert. Sie machen es einem echt nicht leicht. Wissen Sie was? Ich glaube, Sie wollen gar nicht springen."
„Wohl!", erwiderte der Andere und reckte sein fliehendes Kinn starrsinnig und kämpferisch nach vorn. „Ich werde auf jeden Fall springen. Mein Leben ist nämlich nicht mehr lebenswert."
„Blablabla! Dann tun Sie es doch endlich. Die Handys sind weg, und ich habe Ihnen wertvolle Sprungtipps gegeben. Da dürfte eigentlich nichts mehr schiefgehen."
„Und Sie meinen, ich sollte es jetzt direkt tun?"
„Also, ich wäre Ihnen in doppelter Hinsicht dankbar. Ich hätte ein Argument für eine erneute Fortbildung und könnte heute Abend noch den Münsteraner Tatort schaffen." Der Fremde horchte aufmerksam auf.
„Heute Abend kommt wieder der Tatort aus Münster?"
„Ja", antwortete Jan, der spürte, dass er gerade einen gravierenden Fehler gemacht hatte. „Soll aber langweilig und ziemlich albern sein."
„Wiederholung?"
„Natürlich nicht. Ein neuer Fall. Da werden wieder Rekordeinschaltquoten erwartet, obwohl die Kölner eigent-

lich viel besser sind.“ Der Mann kratzte sich am Kinn und überlegte. Schließlich fasste er einen Entschluss.
„Hätten Sie auch morgen Abend Zeit?“
„Hä? Wieso?“
„Ich liebe den Münsteraner Tatort. Er bringt mich stets zum Lachen und auf andere Gedanken. Da kann ich immer so gut bei abschalten.“ Jan machte ein enttäuschtes Gesicht und zog mürrisch die Mundwinkel nach unten.
„Sie meinen …?“
„Ja“, entgegnete der Fremde und lächelte. „Wir gehen jetzt beide hier runter, jeder kann den Tatort sehen, und morgen treffen wir uns wieder.“
„Und dann springen Sie auf jeden Fall?“
„Auf jeden Fall! Danach können Sie Ihren Kollegen sagen, dass Sie dringend eine neue Fortbildung brauchen.“
„Und Sie bringen Filterzigaretten mit und nicht wieder dieses Höllenkraut?“
„Versprochen!“
„Und die Uhr?“ Der Mann griff sich ans Handgelenk, nahm den Chronografen ab und reichte ihn Jan.
„Die können Sie jetzt schon haben. Hängen sowieso zu viele schmerzhafte Erinnerungen dran.“
„Vielen Dank. Aber Sie versichern mir, dass Sie morgen Abend garantiert wieder hier sind?“
„Wenn ich was verspreche, halte ich es auch. So gegen sieben?“
„Würde es auch etwas früher gehen?“, fragte Jan. „Montags habe ich um sieben immer Polizeisport.“ Er fasste sich an den Bauch. „Da sollte ich unbedingt hin. Würde Ihnen übrigens auch nicht schaden. Oh, sorry.“
„Würde Ihnen sechs Uhr denn besser passen?“
Jan grinste zufrieden.
„Sechs Uhr wäre perfekt!“

„Dann müsste ich morgen zwar einmal etwas früher zu Abend essen, aber man kann ja mal eine Ausnahme machen.“
„Denke ich auch. Schließlich ist so ein Freiflug ins Glück schon was Besonderes.“

Jan reichte dem Fremden die Hand und zog ihn in die Höhe. Unten auf der Straße hielten die Menschen den Atem an. Gemeinsam gingen er und der Mann anschließend übers Dach bis hin zur Tür, die ins Treppenhaus führte. Der lebensmüde Fremde sah ihn fragend an.
„Laufen wir jetzt etwa die zweiundzwanzig Stockwerke bis nach unten?“
„Sie möchten lieber den Aufzug benutzen?“
„Logisch, geht schneller und belastet das Herz nicht so.“
„Also, mir fällt da spontan eine Möglichkeit ein, wie Sie noch schneller und herzschonender runter kämen.“
„Nichts da!“, konterte der Mann und hob tadelnd einen Zeigefinger. „Morgen um sechs und keine Minute früher.“
Nachdem ihm der Fremde im Aufzug die wichtigsten Funktionen seiner neuen Armbanduhr erklärt hatte, öffnete Jan unten im Erdgeschoss die Haustür und trat entschlossen ins Freie. Der Chronograf an seinem Arm wog schwer und erfreute ihn mächtig. Was ihm jedoch gar nicht gefiel, war der tosende Applaus, der ihnen beiden entgegenschlug, als die zahlreichen Kollegen und Schaulustigen sie erblickten. Scheiße, dachte er.
Wieder mal so ein Einsatz, bei dem, bis auf die neue Uhr, wirklich nichts nach Plan gelaufen ist.

Aber morgen ist schließlich auch noch ein Tag.

Das Gebet

Der Tag auf der Erde war so normal, so belanglos, so ereignislos gewesen, dass die Radio- und Fernsehmoderatoren weltweit beim Vortragen der abendlichen Nachrichten fast eingeschlafen wären.

Keine Naturkatastrophen, keine Skandale, keine Kriege. Keine Verschwörungen, keine spektakulären Morde, keine Großkonzern-Pleiten, keine Pandemien.

Da und dort waren höchstens ein paar Verkehrsunfälle, Garagenbrände oder Promi-Geburtstage zu vermelden. Halt der übliche Kleinkram, der so passiert, wenn Menschen auf dem Planeten Erde ihrem Leben nachgehen.

Am Tag zuvor war jedoch etwas ganz Außerordentliches geschehen. Zumindest im Leben des 9-jährigen Jonas.

Denn der konnte plötzlich seinen Lieblingsteddy nicht mehr finden. Wo er auch suchte, unter dem Bett, im Kleiderschrank, im Badezimmer, im Garten – der Teddy blieb unauffindbar und wie vom Erdboden verschluckt.

Da setzte sich Jonas auf seinen drehbaren Schreibtischstuhl und schwang leicht hin und her. Das tat er immer, wenn er angestrengt nachdachte.

Plötzlich hatte er eine Idee.
Er faltete die Hände, konzentrierte sich und sprach schließlich:

"Lieber Gott. Nun habe ich meinen Teddy Kurt bereits sehr lange gesucht. Ich finde ihn einfach nicht. Bitte mach doch, dass er zu mir zurückkommt. Wenn du das für mich tust, kannst du auch etwas anderes Wertvolles von mir haben. Sozusagen als Tausch. Denn ich habe Kurt sehr lieb."

Später saß die Familie zusammen am Esstisch und verzehrte das Abendbrot. Anschließend räumten sie gemeinsam die Spülmaschine ein und reinigten die Töpfe und Pfannen.
Als Jonas diese in den Schrank unter dem Herd stellen wollte, stieß er auf einmal einen spitzen Schrei aus.

Kurt saß friedlich in einer Auflaufform und lächelte ihn fröhlich an.

Jonas war überglücklich und drückte seinen Teddy an sich.

"Danke Gott!", rief er erregt, während ihn die übrigen Familienmitglieder überrascht ansahen.
„Du bist der Beste."

Am nächsten Tag starb Jonas' Vater bei einem Verkehrsunfall.

Die Schaukel

Der junge Pfleger stoppte den großen Wagen direkt am Bürgersteig.
„Herr Römer, wir sind da."
Der Mann auf dem Beifahrersitz schlug langsam die Augen auf. Dann drehte er den Kopf wie in Zeitlupe zur rechten Seite und nickte kaum wahrnehmbar.
„Gut", flüsterte er anschließend. „Danke."
„Und Sie sind sich absolut sicher?", wollte der junge Mann zweifelnd wissen. „Der Zaun und das Grundstück sehen aus, als wäre während der letzten zehn Jahre niemand mehr hier gewesen. Man kann nicht einmal das Haus von der Straße aus sehen."
„15."
Der Pfleger sah den Mann verdutzt an.
„Wie bitte?"
„Es ist 15 Jahre her, dass jemand zuletzt hier war."
Der Pfleger nickte.
„Okay! Und Sie wollen wirklich aussteigen? Der Schnee liegt auf dem Grundstück mindestens 30 Zentimeter hoch. Das wird nicht einfach."
Heinz Römer antwortete nicht. Stattdessen öffnete er nur die Beifahrertür und stieß sie so weit auf, dass nach einer Sekunde bereits erste Schneeflocken ins Wageninnere schwebten.
„Na super!", schnaufte der junge Mann. „Dann mal los!"

***

Der Schnee lag tatsächlich so hoch, dass der Pfleger den Rollstuhl nur ziehen konnte. Das hatte zur Folge, dass sich Heinz dem Haus auf dem parkähnlichen Grundstück

zwar permanent näherte, es jedoch nicht sehen konnte. Stoisch und fast wie in Trance starrte er auf die Spuren, die die Schuhe des Mannes und der Rollstuhl im Schnee hinterließen. Nach einer gefühlten Ewigkeit verharrte der Jüngere plötzlich schnaufend.
„Okay, Herr Römer, ich drehe Sie jetzt um. Festhalten!“
Mit einer Spur zu viel Schwung schwang er den nicht gerade stabil und robust wirkenden Rollstuhl im Schnee herum, sodass Heinz in diesem Moment tatsächlich froh war, dass er sich mit seinen behandschuhten Fingern an den Armlehnen festgekrallt hatte.
Er wollte sich schon beschweren, doch dann erblickte er das Gebäude, welches nun groß und wie ein riesig gigantischer Koloss vor ihm stand. Und seine Erscheinung raubte ihm den Atem.

Römer hatte erwartet, dass die Zeit mit ihren spitzen, tödlichen Reißzähnen während der letzten Jahrzehnte dem Haus überall blutige und fürchterliche Wunden zugefügt hatte, doch von alledem war nichts zu sehen. Die stattliche Villa baute sich wie eine gut gepflegte Festung, wie ein Bollwerk der Vergangenheit vor ihm auf, und die weiß getünchten Außenwände standen der schneeweißen Umgebung in puncto Helligkeit und Unschuld in nichts nach. Fast musste Römer die Augen schließen, so glanzvoll strahlte ihn das Haus, sein altes Zuhause an.
Der junge Pfleger runzelte etwas verwirrt die Stirn.
„Sagten Sie nicht, dass hier seit 15 Jahren niemand mehr gewesen ist? Das Haus sieht aus, als sei es letzte Woche frisch gestrichen worden. Zudem gibt es hier nicht die geringsten Anzeichen von Graffitis oder Vandalismus, wie man es bei einem so lange leerstehenden Haus eigentlich erwarten würde.“

„Ich kann es mir auch nicht erklären“, stammelte Römer und wischte sich verstohlen über das zerfurchte Gesicht. „Ich kann es mir absolut nicht erklären.“
„Okay“, grummelte der Pfleger. „Und, wollen Sie jetzt hinein? Den Schlüssel haben Sie doch hoffentlich eingesteckt, oder?“
Heinz Römer legte den Kopf auf die Seite und dachte an den alten Haustürschlüssel in seiner Manteltasche. Er hatte damit gerechnet, dass er beim Anblick seines alten Zuhauses von widersprüchlichen und sogar intensiven Gefühlen heimgesucht werden würde, doch das, was jetzt gerade in seinem Kopf, in seinem Bauch und in seinem Herzen passierte, glich einem Orkan, einem tödlichen Tornado, und er musste sich regelrecht anstrengen, um vor seelischen Schmerzen nicht laut aufzuschreien. Schließlich sagte er wie unter größten Mühen:

„Nein! Für heute soll es genügen, wenn wir uns nur im Außenbereich aufhalten. Das Haus ist nicht gerade … behindertengerecht ausgebaut. Überall Stufen und Treppen. Diese Anstrengungen kann ich Ihnen definitiv nicht zumuten.“
Der Gesichtsausdruck des Pflegers nahm einen Ausdruck an, den Römer nicht deuten konnte, doch nach wenigen Sekunden wirkte das Antlitz des Anderen wieder komplett normal und unauffällig.
„Wie Sie wünschen, Herr Römer.“ Er sah sich kurz um und ließ seinen Blick über das Anwesen und das Grundstück wandern.
„Wollen Sie zuerst zu den Ställen, zum Gewächshaus oder zu den Garagen?“

Römer schloss die Augen, während sein Kopf leicht nach vorne sackte und ihm Schneeflocken um den grauen Schopf herumwirbelten.
„Bringen Sie mich in den Garten. Der Weg führt zwischen der Villa und dem Garagengebäude entlang. Und ich wäre Ihnen dankbar, wenn Sie mich jetzt schieben und nicht ziehen würden. Ich bin ein Mensch, keine Mülltonne. Auch wenn ich so ziemlich jeden Fehler in meinem Leben gemacht habe, den man nur machen kann."

***

Der junge Mann mit dem trendigen Vollbart und den schulterlangen Haaren schob Römer durch den Schnee. Seine Finger waren wegen der Kälte mittlerweile beinahe vollständig gefroren, doch er beschwerte sich nicht ein einziges Mal. Schließlich hatte ihm der Alte vor dem Ausflug einen brandneuen Hunderter zugesteckt. Bei seinem mickrigen Gehalt als Aushilfspfleger im Seniorenstift war das eine ganz willkommene Finanzspritze.
Nach etwa vier Minuten erreichten sie die Terrasse, die sich auf der Rückseite des Hauses befand. Von hier aus erstreckte sich der Blick über das große Grundstück, schneebedeckte Felder und unendliche Weiden.
In einer Ecke der überdachten Terrasse standen Gartenmöbel aus dunklem Teakholz unter durchsichtigen Planen, ein ausladender Gartenkamin zeugte von vergangenen Grillpartys, und ein halbleerer Sack Holzkohle verkündete, dass es nur eines Funkens bedurfte, um hier wieder Wärme und Leben einkehren zu lassen.
Heinz Römer zog ein Papiertaschentuch aus seiner Manteltasche, wischte sich über die Stirn und schnäuzte sich.

„Okay“, stieß er danach rau hervor. „Und jetzt weiter in den hinteren Teil des Gartens. Zu der alten Schaukel.“
„Wie Sie wünschen, Herr General!“, erwiderte der Pfleger. Und sein Satz klang in keiner Weise sarkastisch, aufgesetzt oder ironisch.

***

Während das Schieben des billigen Kassen-Rollstuhles auf den Gehwegplatten eine Tortur gewesen war, verwandelte sich das Unterfangen auf dem triefnassen, schneebedeckten Rasen nun zur reinsten Qual für den Altenpfleger. Er schwitzte und keuchte, und zuweilen musste er sein gesamtes Körpergewicht gegen das klapprige Gefährt stemmen, um dieses und dessen nicht weniger gebrechlichen Insassen von der Stelle zu bewegen. Irgendwann erreichten sie die äußere Grenze des umzäunten Grundstückes. Hinter dem Zaun befanden sich nur noch weite, unbebaute Wiesen und Freilandflächen.
„Da vorne ist sie!“, stieß Römer auf einmal hervor und wies mit dem Blick in eine bestimmte Richtung.
„Ich weiß!“, entgegnete der junge Mann. „Ich habe sie auch schon gesehen.“

Die Schaukel bestand aus runden, rustikal wirkenden, grob zusammengehämmerten und geschraubten Holzstämmen. Man konnte deutlich erkennen, dass diese einmal weiß gestrichen und lackiert worden waren. Unter dem Hauptbalken in der Mitte hingen zwei Einzelschaukeln an verrosteten Eisenketten mit verblassten, ehemals roten Kunststoffsitzflächen.
Der junge Mann ließ die Griffe des Rollstuhles los, beugte sich vornüber, schnaufte und hechelte wie ein Walross

und massierte sich dabei die kalten Hände. Nachdem er wieder zu Atem gekommen war, richtete er seinen Blick auf den Alten.
„Und nun?“
Heinz Römer blickte den Krankenpfleger entschlossen an.

„Nun will ich schaukeln. Und zwar mit Ihnen.“
Der Jüngere prustete los vor Lachen, Verblüffung und gefühlter Ungläubigkeit.
„Nicht Ihr Ernst, oder?“
Römers Mund bewegte sich kaum erkennbar, als er antwortete:
„Oh doch!“
Der Altenpfleger stellte sich vor seinen Schützling aus dem Heim und stemmte die Fäuste in die Hüften.
„Okay, Herr Römer. Bis jetzt war die ganze Sache zwar kräftezehrend, aber immerhin noch nicht verrückt. Wissen Sie, was mit mir passiert, wenn Sie mir von dieser Schaukel fallen und sich womöglich auch noch was brechen?“

Römer lächelte kalt.
„Na klar! Sie werden entlassen. Und wenn mir etwas Schlimmes passiert, landen Sie sogar vor Gericht.“
„Eben!“, entfuhr es dem Jüngeren, während er sich eine schweißnasse Haarsträhne aus der Stirn wischte. „Wir haben hier draußen in diesem Kaff keinen Handyempfang. Ich könnte also nicht einmal den Rettungswagen rufen.“

Heinz Römer hob das Haupt, und seine Augen strahlten wie blaues Eis.

„Ich werde nicht fallen. Versprochen! Helfen Sie mir auf die Schaukel und fixieren Sie meine Handgelenke an der Kette. Ich habe Kabelbinder in der Tasche hinter der Rückenlehne."
Der Altenpfleger schüttelte energisch und hektisch den Kopf.
„Vergessen Sie`s! So was Dummes würde ich niemals tun. Das wäre absolut wahnsinnig und verantwortungslos."
Heinz Römer lächelte noch immer, als er still erwiderte:
„Mein Freund. Jetzt sind wir so weit gegangen. Ich bitte Sie nur darum, dass wir fünf Minuten zusammen schaukeln. Nicht mehr und nicht weniger."
Der Mann schüttelte abermals den Kopf.
„Never! Nur über meine Leiche!"

***

Römer umfasste die eisigen Ketten mit beiden Händen auf Kopfhöhe. Um einen besseren Griff zu haben, hatte er seine Handschuhe in den Schnee geworfen, und bereits nach wenigen Sekunden überkam ihn die Sorge, dass seine Finger an den eisernen Gliedern festfrieren könnten. Doch letztlich war ihm das völlig egal.
Der Pfleger zurrte die Kabelbinder so fest um die Ketten und die Handgelenke des Alten, dass Römer mehrfach aufstöhnen musste. Doch der General a.D. wusste, dass der Jüngere nur seinen Job machte. Und den machte er gut.
Schließlich war es geschafft. Der Pfleger ließ Römers Hände und Arme los und trat einen Schritt zurück.
„Und nun?", fragte er leicht verunsichert.
Der General a.D. zuckte mit den Schultern.

„Jetzt schubsen Sie mich an und danach setzen Sie sich auf die andere Schaukel.“

Der junge Mann verzog die Mundwinkel, tat aber schließlich, wie ihm aufgetragen worden war.
Und wenige Augenblicke später saßen sie gemeinsam auf ihren Schaukeln und schwangen sachte vor und zurück. Ganz vorsichtig. Der Schnee umgab sie, die Kälte umgab sie, die Natur umgab sie, die Vergangenheit umgab sie.

***

„Wirst du uns denn auch mal besuchen kommen?“
Heinz wandte den Blick und betrachtete seinen Jungen, der mit hängenden Schultern neben ihm auf der Schaukel saß und sich tapfer bemühte, nicht zu weinen.
„Selbstverständlich, mein Sohn!“, antwortete er nach drei langen Atemzügen. „Hamburg ist ja nur 300 Kilometer entfernt. Wir werden uns oft sehen. Zumindest, wenn deine Mutter es zulässt.“
Die Sonne brannte erbarmungslos vom Himmel herab, das Gras um die frisch gestrichene Schaukel herum wirkte trocken, braun und tot.
„Und natürlich werde ich dir regelmäßig schreiben“, setzte der General seine Antwort fort. „Zu Weihnachten, zu deinen Geburtstagen und immer, wenn ich wieder einmal im Ausland stationiert bin. Pass auf, wenn du groß bist, hast du Postkarten aus der ganzen Welt. Das hat auch nicht jeder.“
Der Junge schniefte. Nicht mehr lange und er würde seine Beherrschung vollends verlieren.
„Ein richtiger Papa vor Ort wäre mir lieber.“

Der General verdrehte die Augen. Er hatte sein Kind gern, keine Frage, aber für diese Art von Gesprächen war er einfach nicht gemacht. Römer war es gewohnt, zu befehlen, nicht viel zu reden. Er wischte sich etwas Schweiß von der Stirn und sagte steif:
„Pass mal auf, mein Sohn. So eine Scheidung ist kein Weltuntergang. Das kriegen wir alles schon hin. Verstanden?"
Der Junge nickte eingeschüchtert.
„Verstanden!"
„Gut", resümierte Römer. „Und jetzt renn ins Haus und hilf deiner Mutter beim Packen. Der Möbelwagen kommt in einer Stunde. Außerdem muss ich jetzt zum Dienst. Wir telefonieren heute Abend."
Der Knabe sprang ungelenk von der Schaukel, zog sich seine blauen Sandalen an, wischte sich heimlich einige Tränen aus dem geröteten Gesicht und lief davon – ohne sich auch nur einmal umzublicken.

***

Der General hatte Wort gehalten. Zumindest tendenziell. Zu jedem Geburtstag, zu jedem Weihnachtsfest und während jedes Auslandseinsatzes schickte er seinem Jungen Ansichtskarten und kleine Geschenke.

Nur zu Besuchen kam es nicht.
Seine Frau war nach der Trennung so verletzt, dass sich ihr psychischer Gesundheitszustand von Monat zu Monat, von Jahr zu Jahr verschlechterte. Sie schrieb dem General regelmäßig lange Briefe, in denen sie ihm sein verkorkstes Leben, sein missratenes Vatersein und seine Untreue während der Ehe immer und immer wieder lang

und breit vorwarf. Und natürlich machte sie ihn auch für ihren Zustand, ihre tiefen Depressionen verantwortlich.
Gemeinsam kamen sie schließlich zu der Entscheidung, dass es besser wäre, wenn Heinz es, in Bezug auf seinen Sohn, ausschließlich bei einer reinen Postbeziehung belassen würde.
Und wenn Römer sich selbst gegenüber ehrlich war, sofern er sich selbst gegenüber überhaupt jemals ehrlich gewesen war, gefiel ihm diese Abmachung. Er hätte bei seinem Job, den er mehr als alles andere liebte und brauchte, sowieso keine Zeit gehabt, sich um eine Fernbeziehung mit einem heranwachsenden oder womöglich pubertierenden Kind zu kümmern.

Er war sofort aus dem großen, menschenleeren Haus ausgezogen, hatte es vor über 20 Jahren seiner Ex-Frau und seinem Sohn offiziell übertragen, obwohl seine ehemalige Gattin mehrfach vehement betonte, diesen alten Kasten auf keinen Fall haben und nie mehr wiedersehen zu wollen, und war in eine Dienstwohnung auf dem Kasernengelände gezogen.
Während der ersten Jahre hatte sich noch eine Hausmeisterfirma um die Villa und das riesige Grundstück gekümmert. Irgendwann, als die Vergangenheit nur noch eine blasse Erinnerung war und auch die Postkarten und Geschenke an seinen Sohn weniger und sporadischer wurden, kündigte er den Vertrag mit der Servicefirma und ließ das große, einsame Haus einfach nur ein großes, einsames Haus sein.
Es war ihm komplett egal, was mit der Villa geschehen würde. Sollte sie doch verfallen oder einstürzen. Letztlich war es seinem alten Leben ja auch nicht besser ergangen.

Irgendwann war der Kontakt zu seiner Familie schlussendlich komplett gestorben und abgebrochen. Und hätte er im Seniorenstift vor ein paar Tagen nicht zufällig an dieser verdammten Adventsfeier teilnehmen müssen, wo unentwegt rührselige und schwachsinnig emotionale Weihnachtslieder gesungen und zudem kitschige Gedichte von Grundschulkindern vorgetragen wurden, und hätte er nicht vor einigen Monaten diesen sympathisch verschwiegenen Aushilfspfleger kennengelernt, hätte er wahrscheinlich bis an sein Lebensende kein einziges Gefühl mehr an sein altes Leben vergeudet und verschwendet.

***

Der General a.D. öffnete die Augen, und noch bevor sein Verstand erfasste, wo er war, spürte er die Schmerzen in seinen Händen und an den Handgelenken. Er hob die Arme in die Höhe und betrachtete die weißen Verbände, die fachmännisch und sauber angelegt worden waren.
„Ich hab Ihnen ja gesagt, dass das mit der Schaukel eine bekloppte Idee war."
Römer drehte den Kopf und sah den Pfleger neben seinem Bett auf einem einfachen Holzstuhl sitzen. Vom Raum um ihn herum nahm er kaum etwas wahr. Er war dämmrig, ja, fast dunkel. Und er schien nur von ein paar Kerzen beleuchtet zu werden, die außerhalb seines Sichtfeldes positioniert waren.
„Was ist passiert?", krächzte der Alte, ohne auch nur eine Sekunde den Blick von dem Jüngeren abzuwenden.
„Das, was passieren musste", antwortete der Pfleger mit einer gehörigen Spur Ärger in der Stimme. „Sie sind da draußen plötzlich in sich zusammengesackt, und Ihr Kör-

pergewicht hat dafür gesorgt, dass sich die Kabelbinder tief in Ihre Haut geschnitten haben." Heinz verzog den Mund und schaute sich zum ersten Mal ein wenig genauer in dem Zimmer um.
„Wo sind wir?", kam es schließlich im Flüsterton zwischen seinen Lippen hervor, obwohl er die Antwort längst kannte. Der Pfleger schwieg einen Augenblick. Dann murmelte er beinahe vorsichtig:
„Im Haus."

Römer riss die Augen auf. Und die Wahrheit schlug wie eine Tsunamiwelle über ihn hinweg. Eine Welle, von der er längst geahnt hatte, dass sie ihn eines Tages in die Tiefe reißen würde.
„Wie bitte?"
Der Bärtige stützte sein Gewicht auf die Ellenbogen und sah den Alten direkt an.
„Es erschien mir klug, Sie von der Schaukel zu schneiden und ins Warme zu bringen. Jedenfalls besser, als wenn ich Sie in Ihrem Zustand noch bis zum Auto geschleppt und auf die schmutzige Ladefläche gelegt hätte, um Sie in ein Krankenhaus zu fahren."

Heinz Römer nickte wie beiläufig und in tiefsten Gedanken versunken. Dann bekam sein Gesichtsausdruck einen leicht unsicheren, fast schüchternen Ausdruck.
„Und Sie haben mich bis hierher getragen?"
Der Jüngere lächelte.
„Es ließ sich nicht vermeiden; Sie wollten partout nicht selber laufen."

Heinz schloss erneut die Lider und atmete tief durch die Nase ein.

Und in diesem Moment realisierte er es endlich. Es war ihm schon direkt beim Erwachen aufgefallen, doch sein Gehirn war erst jetzt in der Lage, die zahlreichen neuen und doch vertrauten Eindrücke zu einem sinnvollen Ganzen zusammenzufügen. In dem Raum roch es nämlich nicht, wie es zu erwarten gewesen wäre, nach Moder, Feuchtigkeit, Schimmel und Staub. Nein! Es roch eindeutig nach frischer Farbe und gewaschener Bettwäsche.

Vorsichtig ließ er seine rechte verbundene Hand in die Manteltasche gleiten. Er war sein Leben lang ein Mann gewesen, der nichts auf Ahnungen und Vermutungen gab. Er war ein Mann der Armee. Er brauchte Fakten, Tatsachen, Analysen und Beweise.
Nachdem sich seine schmerzenden Finger eine gefühlte Ewigkeit lang durch Unmengen von benutzten und sauberen Taschentüchern gearbeitet hatten, fühlte er ihn plötzlich.
Den kleinen Haustürschlüssel. Den Schlüssel zur Villa. Und er war noch genau dort, wo er ihn vor einigen Stunden platziert hatte. Und auch trotz seiner Schmerzen, seiner Benommenheit, war Heinz sich zu 100 Prozent sicher, diesem seltsamen Pfleger niemals gesagt zu haben, wo sich der Schlüssel befunden hatte.
In seinem Herzen fügte sich endlich alles zusammen. Die Ereignisse der letzten Wochen, seine nie gekannten Emotionen und Träume, der über ihn hereingebrochene Tsunami.
Und der verrückte Plan, der diesem Besuch bei seinem alten Haus vorangegangen war.
Der Plan, noch einmal im Leben mit diesem jungen Pfleger draußen im Garten gemeinsam zu schaukeln.

„Wie sind Sie ins Haus gekommen?“

Während er auf eine Antwort wartete, zog Heinz die Hand wieder aus der Tasche und wischte sich mit einem benutzten Papiertuch die feuchten Wangen ab. Und dann sah er den Aushilfspfleger, mit dem er im Seniorenstift seit einem Vierteljahr an den Wochenenden regelmäßig Schach spielte, durchdringend an. Dieser senkte den Kopf und starrte auf seine gefalteten Hände. Irgendwann hob der junge Mann das Haupt wieder und strich sich die langen Haare zurück.

„Wie ich in das Haus gekommen bin?“
Der General a.D. schwieg, während der Pfleger tief durchatmete.

„Du weißt doch ganz genau, womit ich diese verdammte Haustür geöffnet habe. Womit ich sie in den Monaten nach Mamas Tod immer wieder geöffnet habe.“

Mit diesen Worten stand der Jüngere langsam auf und ließ die rechte Hand tief in eine Hosentasche seiner ausgewaschenen Jeans wandern. Sekunden später saß er wieder zusammengesunken auf dem Stuhl und spielte geistesabwesend mit einem kleinen, glänzenden Gegenstand.
„Natürlich öffnete ich die Tür zum Haus mit meinem eigenen Schlüssel, du dummer, ignoranter, engstirniger und armer alter Mann. Und ich glaube, dass es jetzt so langsam Zeit wird, dass wir endlich mal reden.“

Römers Schultern begannen zu zittern, zu beben. Und zum ersten Mal in seinem Leben verlor er nicht nur ein paar verstohlene, verborgene, verschämte und geheime Tränen. Soldatentränen. Zum ersten Mal in seinem Leben weinte er wirklich und wahrhaftig. Er drehte den Kopf zur Seite und heulte wie ein Kind. Laut, schluchzend und ohne Hemmungen. Und seine Tränen liefen, strömten und flossen in den frisch gewaschenen Kopfkissenbezug.

Irgendwann, inzwischen mussten Sonnen verglüht und ganze Welten gestorben und neu geboren sein, bemerkte er, wie eine seiner bandagierten Hände ergriffen und leicht gedrückt wurde. Er blinzelte, schluckte, drehte den Kopf und sah zu dem jungen Mann, der da neben seinem Bett hockte.
„Ja, mein Sohn“, hauchte er. „Es wird Zeit, dass wir endlich mal reden.“

Mein Bruder,

ich habe dich geliebt. Und zwar vom ersten Moment an, in dem du auf dieser Erde erschienst, um sie mit deinem Lächeln, deinem Wesen in einen Ort der Wärme und der Zuversicht zu verwandeln.

Durch dich wurde das Leben lebenswert. Mit dir an meiner Seite fühlte ich mich erst so richtig komplett und vollkommen. Das vergesse ich dir nie, auch wenn alle Welt etwas anderes behauptet.

Du ließest Blumen und Pflanzen dort gedeihen, wo zuvor nur bittere Ödnis herrschte. Du erwecktest Brunnen und Bäche zum Sprudeln, zum Fließen, wo zuvor nur karger Stein und Fels starb.

Dein Lachen war ansteckend, mitreißend, und selbst die helle, gute Sonne wirkte im Vergleich zu deinen Augen wie ein dunkler, unguter Todesstern.
Und zugleich war dein Blick tiefer als der mächtigste Ozean.

Deine Energie, deine Kraft, dein Wesen - ich denke, dass es vor dir keinen Menschen gegeben hat, der so dermaßen licht- und liebedurchflossen war.

Und dabei so frei von Schuld.
Immerzu.
Wie ein Kind des Himmels.

Natürlich war es nicht immer nur leicht mit dir. Aber das lag an mir, niemals an deiner Person.

Du hast nie etwas falsch gemacht.
Es war wohl mein eigenes Unvermögen, im zuweilen gefühlten Schatten eines Riesen zu wachsen, zu leben, zu scheinen.

Jetzt, mit einigen Jahren Abstand, ist mir vieles klarer, deutlicher, bewusster.

Und ich entschuldige mich bei dir.
Aber glaube mir: Ich habe meine gerechte Strafe bekommen, und die Schuld lastet noch immer auf meinen alten Schultern, meiner verlorenen Seele.

Geliebter Bruder, verzeihe mir, dass ich dich auf so bestialische und brutale Art und Weise getötet habe.

Ich wünschte, ich könnte es rückgängig machen, obwohl mir meine Reue, meine Entschuldigung selbst in 1000 Jahren wohl noch niemand glauben wird.

Mach es gut, wo immer du auch bist.

Dein dich liebender großer Bruder,
Kain

Es ist nur mein Problem

Es ist nur mein Problem.
Es hat auch niemand` etwas anzugeh`n,
ob ich weine oder lache,
was ich aus meinem Leben mache.

Ob ich renne oder sinke
oder wie ein lahmer Clown nur hinke.
Es ist nur mein Problem,
und es hat niemand` etwas anzugeh`n.

Ob ich den Berg hinunterfalle
oder mich am Felsrand stumm festkralle.
Ob ich des Nachts schrei` wie ein Tor
oder Stimmen hör` in meinem Ohr.

Ob ich morgens gern aufsteh`
und lächelnd auf die Arbeit geh`.
Ob ich stark bin wie ein Held,
mein` Platz gefunden hab` in der Welt.

Ob ich Angst hab vor dem Leben
oder davor, nach vorn zu streben.
Ob ich meine Ziele lebe
oder nur am Fleck festklebe.

Ob ich mich selbst hass` oder liebe
oder Gefangener meiner Triebe.
Bin ich vielleicht nur`n Blatt im Wind?
Und dabei ängstlich wie ein Kind?

Bin ich vielleicht ein tumber Blender?
Ein Radiostudio ohne Sender?
Ein kleiner Junge ohne Mut
oder ein alter Mann voll kalter Wut?

Ob ich Gefallen find` am Leiden,
ob es mich hinzieht zu den Heiden,
ob ich Gefallen find` am Tod,
an Gott mich richte in der Not.

Ob ich die Lieben meines Lebens
stets verletz` und oft vergebens
trachte nach dem wahren Weg
und dabei stürze von dem Steg.

Der Steg, der führt mich in das Meer.
Der Hoffnung gibt und vieles mehr.
Der mich auf Kurs hält und mich lenkt.
Mir Sicherheit und Glauben schenkt.

Ob ich wirklich ahne, wer ich bin.
Ob ich wirklich ahne, welcher Sinn
mich antreibt, mich nur noch blockiert.
Oder mich am Ende deprimiert.

Nicht mein Zoo, nicht meine Affen.
Soll`n die Leute doch ruhig gaffen.
Sich die Mäuler blind aufreißen
und auf Stein und Eisen beißen.

Soll`n sie lästern und auch schwatzen,
mir mit Blicken Striemen kratzen.
Mir die Seele kalt einfrier`n.
Ich weiß, ich werd` mich nie verlier`n.

Ich werde wandeln über Toten.
Wie ein Geist mit leisen Pfoten.
Erklimmen auch den höchsten Berg.
Sie stumm verwandeln in ´nen Zwerg.

Ich werde fliegen wie ein Drachen.
Sie verschling` mit meinem Rachen.
Sie in der Nacht zum Mahle nehmen.
Zerstören, töten, nie vergeben.

Und am Ende bin ich da.
Ohne sie, dem Himmel nah`.
Ohne Zweifel, ohne Pein.
Im Paradies – und ganz allein.

Und es ist alles nur mein Problem.
Es hat auch niemand` etwas anzugeh`n,
ob ich weine oder lache,
was ich aus meinem Leben mache.

Ob ich renne oder sinke
oder wie ein lahmer Clown nur hinke.
Es ist alles nur mein Problem,
und es hat niemand` etwas anzugeh`n.

Auf dem Hügel, bei der Kapelle

Der Mann saß still und schweigend, während sein Blick die Menschen fixierte, die sich langsam, Spürhunde an den Leinen und Taschenlampen in den Händen, den Hügel hinauf durch den hohen und blutigen Schnee auf ihn zubewegten. Es würde nicht mehr lange dauern, bis sie ihn hier bei der kleinen Kapelle finden würden.
Sollen sie, dachte der Mann und lächelte traurig. Sollen sie.
Er griff in seine Manteltasche, zog ein Päckchen Marlboro hervor und steckte sich eine Zigarette zwischen die farblosen Lippen.

***

Jochen saß mit versteinertem Blick und zitternden Händen neben seiner Frau Angelika. Die Verhandlung war nun schon mehr als eine halbe Stunde vorbei, der Gerichtssaal längst komplett geräumt. Aber sie hockten noch immer wie gebrochene Wesen ohne Energie und inneren Antrieb hinter dem Tisch, an dem sie zwölf Verhandlungstage als Nebenkläger gehockt hatten. Stets voller Wut, voller Hass, voller Trauer, voller Hoffnung.
Und dann dieses Urteil, welches ihnen vorgekommen war wie der blanke Hohn, wie ein glühender Schürhaken, der sich durch ihre Eingeweide brannte.
Drei Jahre und sieben Monate.
Drei Jahre und sieben Monate dafür, dass ihre Tochter nun tot war. Dafür, dass ihnen das Liebste, das Leben genommen worden war.

Sie waren nicht in der Lage gewesen, die Person anzusehen. Wie sie dort grinsend mit ihren Anwälten lachte und wie sie sich gegenseitig abklatschten. Wie diese von höchst richterlicher Seite bestätigt bekommen hatte, dass ihr Leben in drei Jahren und sieben Monaten weitergehen würde, während das ihrige nun für immer vorbei war.

***

„... ist es im Entführungsprozess von Pforzheim heute zu einem Urteil gekommen. Der Angeklagte Robert K., dem während der vergangenen Verhandlungstage vorgeworfen wurde, durch die Entführung der 9-jährigen Laura deren Tod herbeigeführt zu haben, ist zu drei Jahren und sieben Monaten Haft verurteilt worden. Die Richter sahen es als erwiesen an, dass der arbeitslose Schlosser das Mädchen im Dezember 2014 kurz vor Weihnachten entführt und mehrere Tage in einer Hütte im Wald gefangen gehalten hatte. Dieses hatte der 53-jährige Angeklagte auch bereits am ersten Verhandlungstag gestanden und zugegeben. Er beteuerte jedoch immer wieder, dass er dem Mädchen kein Haar gekrümmt, es gut behandelt hätte und nur auf die 500.000 Euro Lösegeld aus gewesen sei. Dass sich das Kind bei seiner Flucht, die ihm gelungen war, als der Entführer gerade bei der Lösegeldübergabe war, bei der er auch verhaftet wurde, im Wald verlaufen hatte und bei eisigen Temperaturen im Schnee erfroren war, sei von ihm nicht beabsichtigt, geplant oder gewollt gewesen. Er versicherte zudem vor den Richtern und den Eltern des toten Mädchens immer wieder, dass ihm der Ausgang der Geschichte unendlich leid tue. Robert K. und seine Anwälte kündigten an, gegen das Urteil keine Revision einlegen zu wollen. Der Ausgang des

Prozesses hat in den sozialen Netzwerken einen Sturm der Entrüstung ausgelöst. Am Urteil selbst wird sich aber auch dadurch nichts mehr ändern. Und nun zum Wetter.“

***

Die Menschen kamen näher. Der Mann auf dem Hügel konnte sie nun nicht nur sehen, er konnte sie auch hören. Immer wieder riefen sie sich etwas zu, immer wieder neue Befehle, Anweisungen – und dazwischen das Gebell der Hunde.
Der Mann auf der Bank drückte seine Zigarette im Schnee aus. Dann stand er bedächtig auf und blickte ins Tal. Die Dunkelheit lag wie eine Decke, wie eine sanfte Haube über dem Schwarzwald. Über dem Hügel, über der Kirche, über dem sich daneben befindenden Friedhof. Und sie schützte ihn.
Er zog sich seinen Mantel aus. Und anschließend Hemd, Hose und alle übrigen Kleidungsstücke. Und sofort griff ihn die eisige Kälte mit unbarmherziger Wucht an. Dann langte er nach der Pistole und der Säge, die ihm beide an diesem Tag schon gute Dienste erwiesen hatten.

***

Die Menschen schnauften und fluchten, während die Hunde immer wilder und ungeduldiger an ihren Leinen zerrten. Neben der Kälte von beinahe minus zehn Grad Celsius und der Dunkelheit setzte ihnen nun auch noch der einsetzende Schneefall zu. Dieser würde die Sicht noch schlechter machen.

Sie hatten den abgesägten Fuß etwa vier Kilometer entfernt auf einem kleinen Parkplatz mitten im Wald gefunden. Die elektronische Fußfessel hatte direkt danebengelegen. Seitdem waren über zwei Stunden vergangen, in denen die Menschen und die Tiere den beiden Fußspuren und der Blut-, der Schweißfährte gefolgt waren. Obschon ein Hubschrauber angefordert worden war, hatte er sich bis jetzt noch nicht blicken lassen.

***

Angelika torkelte, stapfte und kämpfte sich durch den Schnee, durch die grausame Kälte. Immer wieder griff sie nach dem kleinen Teddy, den sie sich unter den Pullover gesteckt hatte, während sie nun im gefühlten Sekundentakt über Äste, Wurzeln und Steine stolperte.
Sie kannte den Wald. Sie war während der letzten zwei Jahre unzählige Male hier gewesen. Immer allein. Immer in der Nacht. Und immer mit derselben Absicht. Doch letztlich hatte sie nie den Mut gehabt, den letzten Schritt zu gehen. Den allerletzten Schritt.
Ihr Atem rasselte und bildete Dampfwolken vor ihrem Gesicht. Aber sie fror nicht.
Im Gegenteil. Obwohl die Temperaturen weit unter dem Gefrierpunkt lagen, fror sie nicht.
Wozu eine Flasche Wodka doch alles gut sein kann, dachte sie grimmig und stolperte weiter.
Und endlich sah sie das schwache Licht inmitten des dunklen Waldes. Es flackerte zaghaft, schüchtern, ersterbend. Und doch war es noch da. Noch lebte es.
Angelika fing an zu rennen, stolperte erneut, stürzte hart auf den gefrorenen, schneebedeckten Boden, rappelte

sich wieder hoch und rannte weiter. Und schließlich war sie an ihrem Ziel.
Sie ließ sich fallen, schluchzte, brüllte und wimmerte wie ein verletztes Wesen aus einer anderen Welt und umschlang mit ihren blau gefrorenen Händen das flackernde Grablicht.

***

Er hatte ihn den ganzen Tag verfolgt. Um nicht aufzufallen, hatte er sich ein Taxi gerufen, dessen Fahrer bei der Aussicht, für einige Stunden fest gebucht und dabei auch noch aktiv an einer womöglich außergewöhnlichen Überwachungsaktion beteiligt zu sein, breit gegrinst hatte.
Gemeinsam hatten sie über zwei Stunden in Sichtweite des Gefängnistores gewartet und gemeinsam fast eine komplette Schachtel Zigaretten geraucht – dabei aber kein einziges Wort gesprochen.
Als K. schließlich aus dem Gebäude gekommen war, hatte Jochens Herz beinahe einen Aussetzer. K., der einen großen Seesack auf dem Rücken trug, sah sich nach allen Seiten um, wobei sein hagerer Kopf wie der Schädel eines Geiers wirkte. Schließlich winkte er sich ebenfalls ein Taxi herbei, warf seinen Seesack auf die Rückbank und stieg vorne beim Fahrer ein.
Perfekt, dachte Jochen. Er wird von niemandem abgeholt, und wahrscheinlich wartet auch niemand auf dieses erbärmliche Arschloch.
Der Mann neben ihm greinte und blickte ihn erwartungsvoll an.
„Und, soll ich dem Wagen da vorne jetzt folgen?"
Jochen nickte.

„Aber achten Sie darauf, dass Sie ihn nicht verlieren."
Der Fahrer verzog das Gesicht.
„Wird mir bei diesen Straßen- und Witterungsverhältnissen wohl kaum passieren. So viel Schnee hatten wir hier seit Jahren nicht mehr. Der Winterdienst kommt schon seit Tagen nicht mehr gegen die Massen an."

***

Der Mann stand nackt vor der Kirche.
Er zitterte wie Espenlaub, während die Schneeflocken unbeirrbar, schwer und nass um ihn herumschwebten, neben ihm niederfielen, auf ihn niederfielen, seinen Kopf, seine Haare, seinen Körper bedeckten.
Und er lächelte.
Die durch den Schnee gedämpften Geräusche verrieten ihm, dass er nicht mehr viel Zeit hatte. Die Meute war im Anmarsch.
Nun musste es passieren. Endlich. Nach so vielen Jahren.

Er lächelte noch immer, als er seine Kleidungsstücke in den Rucksack knüllte, diesen auf seinen Rücken warf und langsam und fast bedächtig, mit der Pistole und der Säge in den Händen, um die Kirche herum schritt.

***

Angelika lag zusammengekauert auf dem kalten Waldboden, das flackernde Licht der Grablampe vor Augen, den Teddy ihrer Tochter in den Händen. Sie fror nicht, sie weinte nicht, sie hatte keine Angst.

Sie spürte, wie die Wärme langsam immer mehr Besitz von ihr ergriff, wie sie von Sekunde zu Sekunde ruhiger wurde, wie sie ihrer Laura immer näher kam.
Und dieses Mal würde sie ihren Weg bis zum Ende gehen – bis zum Ziel. Da war sie sich sicher.
Sie legte sich auf den Rücken, streckte ihren Körper, machte sich ganz lang. Und da sah sie plötzlich, durch die über ihr schwebenden Baumwipfel hindurch, die Sterne.
Die Sterne, die sie mit Laura auch in jenem letzten magischen Sommer 2014 immer wieder gesehen und beobachtet hatte, als sie gemeinsam auf der Terrasse ihres Ferienhauses in der Provence auf einem Liegestuhl zusammengekuschelt lagen, während Jochen den Grill säuberte und die Küche aufräumte, und in den Himmel schauten.

„Hast du das gesehen, Mama?"
„Nein, was denn?"
„Da ist ein Stern vom Himmel gefallen."
„Bist du dir sicher? Ich hab nichts gesehen."
„Doch, Mama! Ich bin ja nicht blind."
„Dann war das wohl eine Sternschnuppe. Du darfst dir jetzt was wünschen, Laura."
„Warum?"
„Das macht man so, wenn man Sternschnuppen sieht."
„Und was soll ich mir wünschen?"
„Du kannst dir wünschen, was immer du willst. Was dir am wichtigsten ist."
„Gut. Dann wünsche ich mir, dass ich hundert Jahre alt werde. Ich mag das Leben nämlich."
„Man darf seine Wünsche aber nicht laut sagen."
„Warum?"
„Weil sie sonst nicht in Erfüllung gehen."

„Glaubst du, dass mein Wunsch jetzt nicht in Erfüllung geht, Mama?"
„Nein, meine Liebe. Bei so kleinen, süßen Mädchen wie dir machen die Sterne bestimmt eine Ausnahme. Schließlich wusstest du ja nicht, dass man seinen Wunsch nicht laut aussprechen darf. Du wirst bestimmt hundert Jahre alt. Und noch viel älter."
„Dann ist ja gut. Ich möchte nämlich noch nicht sterben."
„Wirst du auch nicht, mein Engel. Wirst du auch nicht."

Angelika liefen die Tränen übers Gesicht, als sie, auf dem vereisten, verschneiten Waldboden liegend, realisierte, dass ihre kleine Laura nach dieser so besonderen Nacht keine vier Monate mehr zu leben haben sollte.

***

K. ließ sich von dem Taxi zu einem großen, grauen Wohnkomplex bringen. Einem hässlichen Riesen inmitten anderer hässlicher Riesen. Jochen wusste von seinem Informanten, dass es sich um das Hochhaus handelte, in dem K. sein trostloses Leben fristete und noch immer ein kleines Ein-Zimmer-Appartement gemietet hatte. Er beobachtete, wie der Entführer den Taxifahrer bezahlte und anschließend in dem Sozialbau verschwand.
„Und? Warten wir wieder?", fragte der Mann neben ihm. Jochen nickte und steckte sich eine weitere Zigarette in den Mund.

***

Die Menschen kamen gut voran.

Dank der Hunde, die keine Erschöpfung, keine Pause, kein Verschnaufen kannten. Zumindest nicht, bis sie ihr Ziel erreicht hatten.
Man konnte sich in der Tat fragen, wem die Aufklärung der Angelegenheit mehr unter den Nägeln, den Krallen, brannte – dem Mensch oder dem Tier.
„Meinst du, die beiden sind bei der alten Kapelle?"
„Sieht fast so aus."
„Warum sollten sie dorthin wollen? Da oben ist doch nichts."
„Keine Ahnung! Also, K. hat sicherlich nicht das Bedürfnis, verwundet, verstümmelt und blutend bei diesem Wetter auf den gottverdammten Hügel zu kraxeln."
„Die Frage ist, wer bei ihm ist und ob er diesen Gang freiwillig auf sich genommen hat."
„Du meinst …?"
„Logisch! Mir ist gerade eingefallen, dass da oben auf dem Friedhof nicht nur die kleine Laura, sondern auch ihre Mutter begraben liegt."

***

Eine Stunde später verließ K. das Hochhaus wieder. Er ging zielstrebig durch die Kälte zu einem auf dem Parkplatz stehenden alten Opel Corsa. Er befreite die Scheiben, die Motorhaube und das Dach vom Schnee, öffnete die Fahrertür und stieg ein. Jochen wusste, dass K. kein eigenes Auto hatte. Also musste er es sich von jemandem aus dem lebensunwerten grauen Riesen geborgt haben. Von einem Freund, einem Bekannten, der mit an Sicherheit grenzender Wahrscheinlichkeit auch nicht viel besser dran war, als er selbst.
„Folgen?"

„Folgen!“

***

Die Person lag zusammengekrümmt, gefesselt und vollkommen unbekleidet im Schnee hinter der Kirche. Genau dort, wo der Mann sie zurückgelassen hatte. Sie zeigte keine sichtbaren, wahrnehmbaren Anzeichen von Leben mehr. Sie wimmerte nicht mehr, sie weinte nicht mehr, sie flehte nicht mehr, wie sie es auf dem ganzen Weg vom Parkplatz bis hierher auf den einsamen Hügel getan hatte.
Der Mann ging auf die Person zu und berührte sie mit seinen eingefrorenen Zehen am Kopf. Keine Regung. Dann beugte er sich hinunter und betrachtete den Stumpf. Er hatte zu bluten aufgehört. Die Wunde sah faserig und rissig aus. Das geronnene Blut, der Knochen und das Fleisch wirkten vor dem Hintergrund des hellen Schnees so schwarz wie Kohle.
Der Mann nahm die Pistole und steckte sie dem Gefesselten in den Mund. Er tat es so heftig, so rücksichtslos, so gnadenlos, dass sein Opfer augenblicklich wieder aufwachte.
Dieses riss erschrocken die Augen auf und starrte seinen Henker, seinen wahren Richter voller Panik an.

***

Der Corsa fuhr langsam an der armseligen Reihe der frierenden Prostituierten vorbei, um schließlich bei einem Mädchen mit weißer Teddy-Jacke und roter Perücke zu halten. Wenig später sah Jochen die Hure im Auto verschwinden und dieses wieder anfahren.

Sie folgten dem Opel bis zu einem einsam gelegenen Parkplatz mitten im Wald. Jochen kannte diese Gegend nach all den Jahren mittlerweile wie seine Westentasche und konnte sich ein Lächeln kaum verkneifen.
Perfekt, dachte er. Wenn es einmal läuft, dann läuft es.
Er griff in seinen Rucksack und zog vier Hunderter hervor.
„Stimmt so."
Der Fahrer sah ihn ungläubig an.
„Wie, das soll`s gewesen sein?"
Jochen nickte.
„Und ich soll Sie wirklich hier in der Einöde rauslassen?"
„Ja. Und streichen Sie die letzten Stunden aus Ihrem Gedächtnis."
Wortlos stieg Jochen aus dem Mercedes, schlug die Tür zu, warf sich den Rucksack über die Schulter und griff in seine Manteltasche. Und noch bevor das Taxi den Parkplatz verlassen hatte, hatte Jochen den Corsa erreicht.

***

Angelika hatte die Augen geschlossen. In ihrem Inneren, mit der gesamten Kraft ihrer Seele, spürte sie die Wärme der Provence, die Geräusche, die durch unzählige Grillen und Zikaden verursacht wurden, den Geruch von Lavendel … und ihrer kleinen Laura.

Sie dachte an Jochen. Sein liebenswertes und fürsorgliches Wesen. Und daran, wie sie ihm während der letzten Monate das Leben zur Hölle gemacht hatte. Mit ihrer schwierigen Art. Ihren Depressionen, ihren Ängsten, Träumen und Weinkrämpfen. Und ihren Vorwürfen, die sie eigentlich nie so gemeint hatte. Schließlich hatte er nichts dafür gekonnt. Schließlich hatte er ihre Tochter nicht in ein halb verfallenes Holzhaus mitten im verschneiten Wald eingesperrt, um 500.000 Euro von einem erfolgreichen und bekannten Architekten einzufordern.

Sie atmete tief in den Bauch hinein, hielt die Luft für einige Sekunden an und atmete wieder aus. Die Wärme des Wodkas, die Wärme der Provence, die Wärme der Tabletten erfüllte und durchdrang sie. Jochen würde es verstehen, da war sie sich sicher.
Und er würde ohne sie besser dran sein. Vielleicht noch einmal ein neues Leben beginnen können. Mit einer anderen, gesünderen Frau. Mit einem anderen, lebendigeren Kind.

Sie versuchte sich in eine andere, etwas bequemere Position zu legen. Doch ihr Körper wollte kaum mehr reagieren. Er wollte ihr einfach nicht mehr gehorchen.
Und dabei ist mir doch so warm.
Egal. Hauptsache, mein Engel ist bei mir.

***

Die Spürhunde folgten der unsichtbaren Blutspur – und die Menschen folgten ihnen wie gehorsame, abgerichtete Haustiere.
Verkehrte Welt, dachten einige von ihnen. Verkehrte Welt.
Und plötzlich war da die alte Kapelle.
Keine 500 Meter vor ihnen. Einsam gelegen auf diesem verlassenen Hügel mitten im verschneiten, verlassenen, dunklen Schwarzwald.

Und während des Bruchteils einer Sekunde war den Menschen alles klar, während sich die Tiere unwissend und scheinbar gleichgültig auf das Wesentliche konzentrierten.
Und die Menschen, zumindest diejenigen, die mehr wussten als die anderen, ahnten sehr genau, was sie oben an der Kapelle erwarten würde.

***

Er trat an den Corsa heran und zog währenddessen die Pistole aus der Manteltasche. Dann trat er so heftig gegen die Beifahrertür, dass er sich bei der Aktion beinahe das Bein gebrochen hätte.
Die Scheiben waren leicht beschlagen, der Motor lief kaum hörbar.
Jochen riss die Tür auf und sah, dass die junge Nutte gerade erst mit ihrer professionell lieblosen Tätigkeit begonnen hatte.
K. hatte die Rücklehne seines Sitzes zurückgestellt, seine Augen sprühten vor Überraschung, Angst und Verzweiflung.
Jochens Finger krallten sich in die weiße Teddy-Jacke und zogen diese samt der dazugehörigen verzweifelt schreienden Person aus dem Opel. Sie fiel in den Schnee, und falsche Fingernägel gruben sich in den gefrorenen Boden.
„Verschwinde!“, bellte Jochen und warf ihr einen Geldschein zu. „Und vergiss, was du gesehen hast.“
Und während er die Mündung der Pistole auf das zitternde Mädchen richtete:
„Ich weiß, wie du aussiehst, und ich weiß, wo ich dich finde. Haben wir uns verstanden?“

Die Prostituierte nickte wie von Sinnen, während ihr Rotz und Wasser aus der Nase liefen.

***

„Die Hunde führen uns definitiv zur Kirche."
„Ich glaube, du hast recht."
„Ich informiere die Kollegen. Wir brauchen die komplette Einheit vor Ort."
„Warum?"
„Weil es gleich wahrscheinlich verdammt heiß zugehen wird, da oben."
„Meinst du wirklich?"
„Natürlich!"
„Weißt du was? Ich glaube, dass alles längst vorbei sein wird, wenn wir ankommen."
„Hoffentlich!"

***

Das Opfer riss die Augen auf. Und innerhalb weniger Sekundenbruchteile hatte es begriffen, was Sache war. Worum es ging. Wo es sich befand.
Der Mann nahm die Pistole aus dem Mund des Nackten, des beinahe Erfrorenen, ließ die Säge einige Male über die Fesseln des verstümmelten Opfers ratschen und richtete sich auf.
„Komm hoch!"
Das Opfer wusste nicht recht, wie ihm geschah. Dann sammelte es alle Kräfte, die noch in seinem zerschundenen Körper steckten und rappelte sich in die Höhe.
„Vorwärts!"

Der Mann lief direkt hinter der wankenden, halberfrorenen Kreatur, deren Beinstumpf mittlerweile wieder dunkle Spuren im weißen Schnee hinterließ.
Die Pistole im Anschlag. Als sie gemeinsam, nackt und frierend, um die Kapelle herumgelaufen waren und vor der Eingangstür standen, erhob der Mann erneut seine Stimme.
„Rein da!“ Das Opfer betrachtete wie im Wahn die alte Eichentür der Kapelle.
„Rein da, sagte ich. Oder willst du direkt hier sterben?“

Das verstümmelte Opfer drückte mit seinen komplett blau gefrorenen Händen die Klinke herunter, stemmte sich gegen das alte, dunkle Holz und befand sich wenige Atemzüge später im Inneren des göttlichen Gemäuers, in dem es nach Kerzenwachs, Weihrauch und unbewältigter Vergangenheit roch.
Es ließ seinen Blick durch das Kirchenschiff wandern. Sah die Bänke, den Altar, das große Kreuz mit dem toten Jesus, das Ewige Licht. Es wusste, einem spontanen Gedanken folgend, nicht, wann es zum letzten Mal in einer Kirche gewesen war.
Und dann spürte es, wie es eine unsichtbare Kraft hinten zwischen den Schulterblättern traf und es erneut zu Boden schleuderte.

***

Angelika sah in das Licht. Sie lebte.
Sie spürte die Wärme ihrer Tochter, das Verständnis und die Liebe ihres Mannes, und wie sie immer ruhiger und ruhiger und ruhiger wurde.

Sie hatte das Gefühl, wie eine Feder durch diesen wundervollen Wald zu schweben. Wie ein Geist. Gemeinsam mit den unzähligen Schneeflocken.

„Schneeflöckchen, Weißröckchen, wann kommst du geschneit?"

Sie stutzte, als sie begriff, dass Weihnachten nicht mehr weit war. Und dass sie tatsächlich gerade gesungen hatte. Angelika schloss die Augen, und die kleine, lebendige, warme Flamme der Kerze tanzte noch immer in ihrem Kopf.

***

K. starrte ihn mit weit aufgerissenen Augen an.
„Was wollen Sie von mir?"
Jochen antwortete nicht auf die Frage und sagte stattdessen:
„Steig aus, du beschissener Mörder."
Zitternd und fahrig öffnete K. die Tür und schwang sein linkes Bein nach draußen. Schließlich stand er ängstlich und zitternd vor Jochen, während er permanent die Pistole fixierte.
„Wollen Sie mich erschießen? Ich habe Ihre Tochter nicht umgebracht. Es war ein Unfall."
„Halt die Schnauze!", antwortete Jochen eine Spur zu laut. Er ging einen Schritt auf K. zu, packte ihn am Kragen seiner Jacke und zog ihn vom Wagen weg. „Jetzt machen wir erst einmal einen kleinen Spaziergang."
K.`s Augen drückten Panik und Entsetzen aus. Jochen hatte vergessen, wie klein und mickrig diese Kreatur

doch gewesen war. Im Gerichtssaal war sie ihm größer, wuchtiger, mächtiger vorgekommen.
„Ich trage eine elektronische Fußfessel am Bein“, wimmerte K. mit hoher, sich überschlagender Stimme. „Die Bullen wissen stets, wo ich bin. Wenn ich Mist baue oder ungewöhnliche Orte aufsuche, kommen die sofort.“ Jochen lächelte eisig.
„Ich weiß. Aber mach dir keine Sorgen. Das wird geklärt.“
Daraufhin ließ er seinen Rucksack in den unschuldigen, ahnungslosen Schnee fallen, bückte sich, zurrte an den Verschlussriemen und zog nach einigen Sekunden eine etwa 40 Zentimeter lange Knochensäge hervor.

K. erstarrte und begann zu wimmern. Und dann begann er zu schreien.
Er schrie sich seinen gesamten Schmerz aus dem Leib. Seine ganze Angst, seine komplette Verzweiflung, seine aufgestaute Wut auf sich selbst.
Und er schrie noch immer, als Jochen ihn endlich zu Boden warf, ihn immer und immer wieder mit dem Griff der Pistole kraftvoll, maßlos und voller tödlicher Wut an der Schläfe traf und schließlich die Säge an seinem Bein ansetzte, um langsam, zielgerichtet und erbarmungslos mit seiner Arbeit zu beginnen.

***

Jochen war nicht er selbst. Er nahm nichts wahr. Er stand völlig neben sich – und währenddessen unmittelbar vor dem Grab seiner Frau.
Vor dem Grab seiner Tochter. Vor dem Grab seines eigenen Lebens.

Er hatte keine Energie und keine Kraft für die vielen Menschen, die ihm mit Tränen in den Augen die Hand reichten.
Ihm die Schultern tätschelten.
Ihm sagten, dass sie immer für ihn da wären.
Dass er sich auf sie verlassen könne.
Dass sie seinen Schmerz teilten.

Er hatte keine Energie und keine Kraft mehr für diese überflüssigen Seelen. Er hatte nicht einmal mehr Energie und Kraft für sich selbst.
Außer für eine einzige Sache. Eine letzte Sache. Und die würde er zu Ende bringen. Koste es, was es wolle.

Und dieses schwor er sich, während er die weißen Rosen genau dort ablegte, wo seine Angelika und seine Laura ihre letzte Ruhestätte gefunden hatten.

***

„Vorwärts!“
Der Verstümmelte, dem der Mann alle Kleidungsstücke vom Körper geschnitten hatte, keuchte, weinte und flehte wie ein 9-jähriges Kind, während er nackt und mit nur einem Fuß durch den hohen Schnee stolperte – eine blutige Spur erzeugend.
„Lassen Sie mich laufen! Ich bitte Sie!“ Der Mann rümpfte verächtlich die Nase und spuckte aus.
„Ich weiß gar nicht, was du hast, du Arschloch. Ich lasse dich doch laufen.“
Die Stimme des Verstümmelten war kaum noch zu verstehen, so heftig überschlug sie sich, so wenig Kraft hatte er noch.

„Ich werde in dieser Kälte noch erfrieren.“ Und der Mann mit der Pistole lächelte.
„Was du nicht sagst.“

***

„Ich höre den Helikopter.“
„Ich auch.“
„Er wird in wenigen Sekunden bei der Kapelle sein.“
„Lässt sich wohl nicht vermeiden.“
„Ich hoffe, es ist noch nicht zu spät.“
Der andere Mensch sah den Sprecher an.
„Warum?“
„Wie, warum?“
„Na, warum hoffst du, dass es noch nicht zu spät ist? Hat dieser Killer nicht genau dieses Ende verdient?“
Der Andere zog die Stirn in Falten, während er weiterhin durch den Schnee stapfte.
„Du weißt doch gar nicht, was da oben los ist“, stammelte er schließlich.
„Ich weiß es sehr genau. Wir folgen den Fußspuren von zwei Personen. Eine von ihnen ist definitiv ein verurteilter Entführer, der ein kleines Mädchen auf dem Gewissen hat und nun unter Einhaltung bestimmter Auflagen wieder frei ist. Wer die andere Person ist, wissen wir natürlich nicht, aber ich bin nicht dumm. Ich mache meinen Job seit fast 40 Jahren und bin von Beginn an an diesem Fall dran gewesen. Es gibt nur noch einen Überlebenden aus der Familie der kleinen Laura, einen Täter, einen abgesägten Fuß, eine elektronische Fessel und zwei Menschen, die hintereinander durch den Schnee laufen. Dazu jede Menge Blut.“
„Du meinst …?“

„Ja. Und wenn es nach mir ginge, würden wir den Hubschrauber wieder wegschicken und erst einmal eine etwas längere Pause einlegen. Damit der arme Kerl da oben genug Zeit hat, seinen verdammten Job zu erledigen."

***

Der nackte Mann spannte den Hahn der Pistole und zielte. Er zitterte wie verrückt und hatte kaum noch Gefühl in seinen Fingern, in seinen Armen, in seinen Gliedern. Es kam ihm so vor, als wären sogar seine Gesichtszüge eingefroren.
Er war fast am Ziel, das wusste er. Nur noch diese eine Sache. Dann konnte er sich der Kälte, den Medikamenten, der Ewigkeit zuwenden.
In diesem Augenblick öffnete der Verstümmelte die Augen.
„Nein! Tun Sie es nicht. Es tut mir alles so leid."
„Ach ja?"
Der Verstümmelte nickte wie hypnotisiert.
„Ja! Natürlich! Ich war nur auf das Geld aus! Glauben Sie mir. Ich konnte doch nicht ahnen, dass sich diese dumme Göre durch einen winzigen Spalt im Fußboden zwängt, um danach fast komplett unbekleidet im Wald zu erfrieren!"
Der Schuss dröhnte in der kleinen Kapelle wie eine Bombenexplosion. Wie ein gewaltiger Donnerschlag. Wie ein Urteil Gottes – und zugleich wie eine Erlösung.

Und der Knall war trotz des dicht fallenden Schnees im gesamten Tal zu hören.

***

Die Menschen erreichten den Hügel und umstellten ihn gemeinsam mit der Besatzung des Polizeihubschraubers. Ein Einsatzteam drang mit Maschinenpistolen im Anschlag und mit Masken vor den harten Gesichtern in die alte, ehrwürdige Kirche ein. In einer Ecke nahe des Weihwasserbeckens fanden sie einen unbekleideten Mann, der zusammengekrümmt, mit abgetrenntem Fuß und völlig regungslos auf den abgetretenen Steinplatten in einer riesigen Blutlache lag. Laserpunkte zuckten, irrten durch den dunklen Raum, angebracht an Präzisionszielfernrohren. Sie visierten und beleuchteten punktuell den Altar, die Sitzreihen, den toten Mann am Kreuz – das Ewige Licht.
Und schließlich wieder das Opfer am Boden.

***

Der Mann kniete. Der Mann betete. Der Mann fror nicht mehr.
Die zwei Namen – eingemeißelt, eingebrannt in den schweren, massiven Granit. Direkt vor ihm.
Laura und Angelika. Angelika und Laura. Viel zu früh ... in ewiger Liebe.
Er nahm die akustischen Signale kaum mehr wahr. Motorengeräusche. Menschen, die Befehle bellten. Bellten wie Hunde, die sie hierhergeführt hatten. Bluthunde. Die eigentlichen und alleinigen Helden dieser Nacht. Obwohl sie es nicht wussten und niemals wissen würden.
Und das alles für ein Leckerli.
Für eine Portion Streicheleinheiten. Für ein Lob.

Der Mann weinte.
Die Pistole lag neben ihm im Schnee.

Und er spürte die Wärme.
Er schloss die Augen, und in diesem Augenblick sah er sie vor sich.
Wie sie ihre Hände nach ihm ausstreckten. Wie sie ihm zuriefen. Wie sie sich freuten, dass sie endlich wieder vereint waren. Wie sie lachten. Wie wunderschön sie doch waren. Als Familie.

Er ging einen Schritt weiter, fühlte seinen nackten Körper nicht mehr. Fühlte keine Schmerzen mehr. Ergriff die Hände von Laura, seiner Kleinen. Von Angelika, seiner Liebe.

Minus 12 Grad Celsius. Schneefall. Eisiger Wind.
Und der Mann stürzte.
Direkt auf das Grab seiner Lieben, auf das er unlängst noch weiße Rosen gelegt hatte. Direkt in den Schnee. Direkt in die Ewigkeit. Direkt in die Wärme.
Und dann waren sie endlich wieder zusammen.
Beieinander. Hand in Hand. Lebendig. Für immer vereint im hellen Licht.

***

Der Mensch, der bereits seit Stunden im hohen Schnee unterwegs gewesen und zudem seit der ersten Stunde als Leiter der Ermittlungen in den Fall involviert war, schüttelte den Verstümmelten in der Kapelle.
„Wachen Sie auf! Verdammt, Sie Arschloch, wachen Sie auf!“
Der Verstümmelte regte sich, bewegte sich. Atmete, sah, spürte, fühlte.
„Was ist passiert?“, wollte der Mensch wissen.

Der Verstümmelte rieb sich die Augen. Traute selbigen nicht.
„Ich lebe?“
Der Mensch schüttelte ihn erneut, wobei er sich beherrschen musste, um den Verstümmelten nicht gegen die Kirchenwand zu schmettern.
„Was ist passiert?“
Der Angesprochene senkte den Blick.
„Ich weiß es nicht.“
Der Mensch stand auf, trat an das Becken mit dem gesegneten Weihwasser, schlug wütend dagegen, beobachtete, wie das Gefäß kippte, stürzte und sich die geweihte Flüssigkeit über den Steinboden ergoss, sich mit dem Blut des Verstümmelten vermischte und schließlich eine heilige, unheilige Einheit bildete.
„Ich wiederhole mich nicht noch einmal!“, schrie der Mensch jetzt völlig außer sich. „Da draußen liegt ein Toter. Ein wahrlich guter Mann. Erfroren auf dem Grab seiner Frau. Erfroren auf dem Grab seiner Tochter. Und Sie liegen hier lebendig und quietschfidel herum, winseln wie ein räudiger Kojote und wollen nicht wissen, was sich zugetragen hat?“
Der Verstümmelte neigte seinen Kopf zur Seite. Dachte nach. Und wischte sich schließlich Tränen aus dem Gesicht.
„Ich weiß es wirklich nicht“, wisperte er irgendwann, während der Ekel und der Selbsthass in seiner Stimme kaum zu überhören waren. „Der Mann meinte nur, dass er dort, wo er zusammen mit seiner Familie hingehen würde, so eine widerwärtige Kreatur wie mich nicht sehen und haben wolle.“

***

In diesem Augenblick betrat ein junger, pickeliger Beamter übereifrig die Kirche. In seinen Händen hielt er einen durchsichtigen Plastikbeutel.
„Entschuldigung, aber wir haben etwas bei dem Toten auf dem Friedhof gefunden.“
Der Mensch nahm den Beweismittelbeutel entgegen und betrachtete ihn, während der Verstümmelte aufgeregt nach Luft schnappte.
„Das ist seine Pistole! Mit der hat der Wichser mich bedroht. Und mit der hat er auf mich geschossen.“
Der alte Mensch wog den Beutel in seinen behandschuhten Händen und flüsterte voller Abscheu:
„Und scheinbar nicht gut genug getroffen.“
Dann fixierte er zunächst den Verstümmelten und danach seinen Mitarbeiter.
„Junge?“ Der unerfahrene Polizist nickte emsig.
„Ich höre!“
„Verlass die Kirche und suche draußen weiter nach Beweismitteln und Spuren. Und sorge dafür, dass ich in den nächsten Minuten nicht gestört werde. Haben wir uns verstanden?“
Der jugendlich wirkende Beamte verzog das Gesicht. Schließlich weiteten sich seine Augen, und er verstand. Denn er kannte seinen Vorgesetzten nur zu gut. Und er wusste in diesem Augenblick sehr genau, was in diesem vorging. Was er fühlte.
„Bist du dir sicher?“ Der alte Mensch sah dem Knaben direkt in die Augen.
„Tu, was ich dir sage, mein Sohn“, antwortete er unendlich leise aber bestimmt. „Und vergiss nie, dass ich dich und deine Mutter auf ewig lieben werde. Egal, was kommt.“

Der junge Mann schluckte. Seine Unterlippe bebte. Aber dann streckte er die Schultern durch.
„In Ordnung, Chef. Ich gehe!“
Und er ging.

Und er ließ den auf einmal zitternden Verstümmelten, den sanft lächelnden Menschen mit den schwarzen Handschuhen und die geladene Pistole des toten Familienvaters zurück in der alten Kapelle auf dem verschneiten, einsamen Hügel.

Hot Love

Das Vorspiel begann bereits im Aufzug. Sie konnten die Hände nicht voneinander lassen. Erforschten in der kleinen Kabine ihre Körper, ihre Mundhöhlen, ihre Leidenschaft, während sich ihre Erregung, ihre Vorfreude von Sekunde zu Sekunde steigerte.
Kilians Herz galoppierte. Im Kopf ging er die einzelnen Zimmer der Wohnung durch. Er war sich sicher, dass er sie heute Morgen einigermaßen aufgeräumt hatte, bevor er zur Arbeit und anschließend ins Fitnesscenter gefahren war, wo er seine jüngste Eroberung kennengelernt hatte. Zudem war er sich sicher, dass er im Nachttischschränkchen noch mindesten drei Kondome haben musste.
Er lächelte, holte Luft und war so glücklich, wie er es schon lange nicht mehr gewesen war. Es musste mindestens ein halbes Jahr oder länger her sein, dass er zuletzt spontan eine Liebschaft, ein sexuelles Abenteuer mit nach Hause gebracht hatte.
Die Fahrstuhltür öffnete sich, und zu zweit drängten, eilten sie hinaus in den Gang, die Finger, die Hände nicht voneinander lassen könnend.
Die Wohnung befand sich direkt gegenüber dem Fahrstuhl. Kilian zog den Schlüssel aus der Tasche seiner Jogginghose, die er noch vom Sport anhatte. Sie hatten weder geduscht, noch sich umgezogen. Sie wollten einfach nur zu ihm, und das so schnell es ging.

Mit zitternden Fingern versuchte er das Schlüsselloch zu treffen und brauchte mehrere Anläufe dafür. Dann öffnete sich das Tor zum Paradies, und beinahe stolperten sie hinein. Wie zwei Verhungernde. Kilian verschloss die Tür, und noch im dämmrigen Flur begannen sie damit,

sich gegenseitig auszuziehen. Erst die Jacken, dann die Sport-Shirts, dann die Schuhe, dann die Trainingshosen. Sie ließen alles einfach achtlos zu Boden fallen.
Kilian machte kein Licht. Der Schein des Mondes, der durch die offene Küche in die Wohnung und somit in den Flur fiel und der jetzt im Winter schon frühzeitig zu sehen war, reichte den Liebeshungrigen völlig aus. Beinahe nackt zog Kilian seine sexuelle Errungenschaft in Richtung Wohnzimmer, stieß die angelehnte Tür mit dem Ellenbogen auf, drückte die körpergewordene Lust direkt gegen den Türrahmen und ging mit geschlossenen Augen vor ihr in die Knie.

„Überraschung!“
Das Licht flammte auf. Kilian öffnete die Augen, drehte den Kopf und sah seine Frau, seine Kinder, seine Schwiegereltern und etwa zehn seiner besten Freunde und Bekannten, wie sie vor der Balkontür und neben der Sitzgarnitur standen, mit Sektgläsern, Blumen, einem Kuchen mit zwei Marzipan-Eheringen und Luftballons in den Händen.
Während er die ungläubig geweiteten Augen seiner Frau und seiner Töchter sah, die er eigentlich für einige Tage bei den Großeltern wähnte, realisierte er nicht nur aus den Augenwinkeln heraus das kleine Buffet, das auf dem Sideboard angerichtet war, sondern auch, dass er seinen und Antonias 20. Hochzeitstag vergessen hatte.

Geschockt, verschämt und nur mit einem Slip und Socken bekleidet, richtete er sich auf, während der junge Mann im Türrahmen sich rasch seine Shorts hochzog.

Die silberne Katze

Der kleinwüchsige Mann blickte sich lauernd um, während sein Körper unter höchster Anspannung stand.
Seine Augen beobachteten, scannten die Umgebung, seine Nasenflügel bebten, seine Ohren vernahmen jedes noch so unbedeutende Flüstern des Windes, jedes noch so bedeutungsvolle Rascheln nicht vorhandenen Laubes.
Wie ein einsamer, gejagter Wolf, wie ein Schakal während eines nächtlich einsamen Raub- und Beutezuges.
Ein Raub- und Beutezug, der über alles entscheiden sollte.
Über das Leben – und über den Tod.

Nirgends war auch nur eine Menschenseele zu sehen, zu riechen, zu hören.
Keine Gefahr!

Dann schlich er gebückt und leise keuchend weiter über den stillen, dunklen und verlassenen Parkplatz vor dem Autohaus. Er ging um das Hauptgebäude aus modern schimmerndem Glas und Stahl herum, in dem eine Vielzahl von polierten Neuwagen stumm und gelangweilt vor sich hin glänzten, und gelangte schließlich zu dem Bereich, in dem sich die verschlossenen Rolltore der Werkstatt und die Fahrzeuge befanden, die entweder noch auf ihre Reparatur warteten oder schon für die Kunden zur Abholung bereitstanden.

Der kleine, gebeugte Schatten musste nicht lange suchen.
Das Ziel seiner Begierde war das größte, luxuriöseste und teuerste Auto auf dem gesamten Hof.

Krömer wusste, dass der silberne Jaguar nicht mehr in die Werkstatt musste. Und er wusste zudem, dass er am nächsten Tag um die Mittagszeit von seinem Besitzer abgeholt werden würde. Er wusste es so genau, weil er es persönlich gewesen war, der die Inspektion an diesem mehr als 100.000 Euro teuren Schlitten durchgeführt hatte.

Er hatte es in der ihm zur Verfügung stehenden Zeit nicht geschafft, mit den Arbeiten an dem Fahrzeug fertig zu werden und sich somit einen Rüffel von seinem Chef eingehandelt. Dabei hatte er es nur deshalb nicht geschafft, weil der arrogante und perverse Besitzer der Karre bei der Übergabe zahlreiche Extrawünsche geäußert hatte, die ihm auf seinem Zeitkonto nicht gutgeschrieben wurden.
Krömer trat an den Wagen heran und sah sich noch einmal aufmerksam um.
Schnuppernd, riechend.
Nichts!
Er war definitiv alleine auf dem Hof.

Dennoch war er so nervös und kurzatmig, dass er routiniert und fast schon unbewusst nach dem Asthmaspray in seiner Hosentasche griff, mehrere Sprühstöße in seinen trockenen, ausgedörrten Rachen feuerte und tief inhalierte.
Augenblicklich spürte er, wie sich seine Atemwege erweiterten, wie er deutlich leichter Luft bekam. Und endlich zog er den Schlüssel des Jaguars, den er kurz vor Feierabend vom dafür vorgesehenen Brettchen im Büro genommen hatte, aus der Innentasche seiner Jacke, öffnete die Fahrertür, zog an dem kleinen Hebel, der die Ent-

riegelung der Motorhaube aktivierte, wuchtete diese unter größten Anstrengungen in die Höhe, langte in seinen Umhängebeutel, beförderte einige Werkzeuge heraus und machte sich ans Werk.

Dabei lag ein kaltes, aber zugleich auch seltsam jungenhaftes Lächeln auf seinem Gesicht.

„Jetzt werde ich dir mal beweisen, dass ich mich mit deiner Scheißkarre auskenne, du Bastard", wisperte er erregt in die Dunkelheit hinein. „Und du wirst dich nie wieder über einen Menschen wie mich erheben oder dich am Leid und an den Qualen anderer ergötzen und aufgeilen. Nie wieder!"

***

Die Stimmung war mies. Die Mechaniker, Verkäufer und sonstigen Mitarbeiter starrten entweder zu Boden, in ihre leeren Kaffeetassen oder einfach nur ins unendliche Nichts. Gerade hatte ihnen der Chef verkündet, dass sie alle wegen der Coronakrise ab der folgenden Woche auf Kurzarbeit gesetzt würden. Dass aber ihre verbleibende Arbeit darunter natürlich nicht leiden dürfe. Weder bei Telefonaten noch im Verkauf oder in der Werkstatt.
„Jetzt geht es darum, die beste Leistung zu liefern, die möglich ist", hatte der Inhaber des Autohauses vollmundig und naiv zuversichtlich verkündet. „Und nicht vergessen: Immer lächeln! Der Kunde ist und bleibt schließlich König. Und wer in der Krise mit uns zufrieden ist, kommt danach auch wieder zu uns zurück."

Arschgeige, dachte der von Geburt an kleinwüchsige Krömer, der fühlte, dass sich sein Asthma bemerkbar machte. Nach der Besprechung benutzte er auf der Toilette kurz seinen Inhalator und schlurfte schließlich verstimmt und desillusioniert zurück in die Werkstatt.

Lächeln!
Der soll mir mal erklären, wie ich mit den paar Kröten des Kurzarbeitergeldes meine Mutter, meine Schlangen und mich selbst ernähren soll. Und wer versichert mir denn, dass es ein *Danach* überhaupt gibt?

***

Eine halbe Stunde später bemerkte er den silbernen Jaguar, der langsam und gemächlich bis dicht vor eines der geöffneten Tore rollte. Er beobachtete, wie ein weißhaariger älterer Mann übertrieben würdevoll aus dem Fahrzeug stieg, die Tür nahezu geräuschlos ins Schloss fallen ließ und mit einem Zettel in der Hand auf ihn zukam. Dabei wirkte er so, als schritte er die breite, grandios illuminierte Showtreppe einer Fernsehsendung aus den 80ern herab.
„Herr Krömer?"
Der Angesprochene rieb sich die ölverschmierten Hände an einem Papiertuch ab, warf dieses anschließend in einen Abfalleimer und nickte aufmerksam.
„Was kann ich für Sie tun?"
Der Ältere betrat hochnäsig und gewollt weltmännisch die Werkstatt, während seine schwarzen Designerschuhe harte und kaltlaute Geräusche auf dem nackten Hallenboden erzeugten.

„Mir wurde gesagt, dass ich mich bei Ihnen melden soll. Es geht um die Inspektion an meinem Wagen“, gab er mit tiefer, sonorer Stimme von sich, während er mit einem seltsam anmutenden Gesichtsausdruck auf den Angestellten herabsah, der mindestens 30 Zentimeter kleiner war als er selbst.
Dieser streckte sich unbewusst ein wenig und erwiderte geflissentlich:
„Da sind Sie bei mir genau richtig.“

Der Mann blieb etwa anderthalb Meter vor Krömer stehen und hielt diesem den Zettel hin. Erst jetzt sah der Mechaniker, dass der Jaguarfahrer braune Wildlederhandschuhe trug.
Um den Corona-Sicherheitsabstand zu wahren, streckte Krömer einen seiner kurzen Arme weit nach vorne und nahm das Papier in Empfang.
Der Ältere musterte sein Gegenüber skeptisch. Der Blick verharrte dabei zunächst auf dessen kleiner Gestalt, danach auf der gedrungenen Körperhaltung und wahrscheinlich zuletzt auch auf dem deutlich sichtbaren Buckel.
„Fühlen Sie sich imstande, die erforderlichen Arbeiten an meinem Fahrzeug durchzuführen? Ich meine, kennen Sie sich mit einem Jaguar aus?“
Krömer inspizierte den Werkstattauftrag, nickte und lächelte pflichtbewusst professionell in Richtung König Kunde. Es war nicht neu für ihn, dass Menschen ihn wegen seiner äußeren Erscheinung für untalentiert, unfähig und sogar bemitleidenswert hielten. Im Gegenteil: Dieses Gefühl der absoluten und totalen Herabstufung begleitete ihn nun schon sein gesamtes Leben.

„Selbstverständlich! Es handelt sich hier ja nur um einen 45.000er Routinecheck. Das bekomme ich hin."
Der Mann mit den teuren Handschuhen zog die Stirn in Falten.
„Wenn Sie meinen. Aber passen Sie mit den Sitzen auf. Die sind handgenäht, und das Leder eines einzigen Bezuges dürfte Ihr Monatsgehalt bei weitem übersteigen."
Krömers Lächeln fror ein wenig ein.
„Selbstverständlich", wiederholte er sich dann. „Ich werde entsprechende Schutzmaßnahmen ergreifen."
Nachdem er dieses gesagt hatte, zog er sein Spray hervor, um seine erneut langsam beginnende Atemnot mit dem heilbringenden Aerosol zu mildern.

Der König blickte seinem Diener scharf in die Augen.
„Sind Sie etwa krank?"
„Nein, natürlich nicht", antwortete der Werkstattmitarbeiter eine Spur zu schnell. „Ich bin nur Asthmatiker und benötige zuweilen mein Spray."
Der Mann zuckte mit den Schultern.
„Nehmen Sie es nicht persönlich, aber ich möchte nicht, dass Sie in der aktuellen Krisensituation während der Inspektion Ihre Viren und Bakterien im ganzen Auto verteilen. Ich bitte Sie also, einen Mundschutz und saubere Handschuhe zu tragen, wenn Sie sich ins Wageninnere begeben."
„Wenn Sie es wünschen, werde ich das tun."
„Und es wäre nett, wenn Sie vorher nicht rauchen würden. Ich hasse den Geruch von Zigaretten in Autos."
Krömer schenkte dem König das falscheste und künstlichste Lächeln seines Lebens.
„Ich bin, wie schon erwähnt, Asthmatiker. Da wäre Rauchen tödlich."

Der Mann mit den weißen Haaren nickte bedächtig.
„Gut! Ach ja, und noch etwas. Ich hatte während der letzten Woche das Gefühl, dass der Spurassistent irgendeine Macke hat. Vielleicht könnten Sie das auch noch überprüfen." Er hob die rechte Hand und kratzte sich mit seinem ledernen Zeigefinger am Ohr. „Und die Kameras vorne und hinten müssten unter Umständen neu justiert werden."
Krömer räusperte sich und blickte zu seinem Kunden empor.
„Sind die denn falsch eingestellt?"
Der Mann rümpfte die Nase.
„Das fragen Sie mich? Sehe ich aus wie ein gemeiner Autoschrauber?"
„Natürlich nicht", beeilte sich Krömer zu sagen. „Ich dachte nur, Sie hätten vielleicht etwas bemerkt."
„Schauen Sie einfach nach", erwiderte der ältere Mann komplett emotionslos. „Natürlich nur, wenn es Ihnen keine Umstände macht."
„Ich werde sehen, was sich machen lässt", meinte Krömer und warf erneut einen Blick auf den Laufzettel. Ihm war schon jetzt klar, dass er diesen Auftrag niemals in der dafür vorgesehenen, sowieso schon viel zu knapp bemessenen, Zeit schaffen würde.
„Sonst noch etwas?"
Der Ältere nickte kaum wahrnehmbar.
„Ja! Es ist doch richtig, dass Ihre Werkstatt Autos, die in die Inspektion kommen, anschließend noch einmal durch die Waschstraße fährt, oder?"
„Das ist korrekt", antwortete der Angesprochene.
König Kunde verschränkte die Arme vor der Brust und säuselte bittersüß:

„Ich wäre Ihnen dankbar, wenn Sie das bei meinem Kätzchen unterlassen und es stattdessen mit der Hand waschen würden." Und mit einem widerlichen Augenzwinkern: „Sollten Sie nicht an das Dach herankommen, können Sie ja jemanden um Hilfe bitten."

Krömer spürte, wie in ihm kalte Wut emporstieg. Doch er beherrschte sich und schluckte den Ärger mühsam herunter.
„Verzeihen Sie, aber dieses hier ist eine Werkstatt, und ich bin KFZ-Mechatroniker auf Akkordbasis. Ich wasche hier eigentlich keine Fahrzeuge von Hand."
Der Fremde legte den Kopf auf die Seite. Seine Augen hatten sich in schmale Schlitze verwandelt.
„Ach ja? Ihr Name war Krömer, nicht wahr?"
Der Kleinwüchsige zuckte kaum merklich zusammen, zwang sich aber schließlich erneut, den Mann anzulächeln.
„Es tut mir leid. Ich werde dafür sorgen, dass Ihr Auto ordentlich gereinigt und gewaschen wird."
Der Kunde lächelte selbstgefällig, während er seine behandschuhten Hände wie zum Gebet gegeneinander drückte.
„Dann ist ja alles in Ordnung. Was doch so ein bisschen Druck alles bewirken kann, nicht wahr? Manchmal muss jeder von uns daran erinnert werden, wo er steht und vor allem daran, wer … über ihm steht."
Er lachte schallend auf, und sein Gewieher hallte markerschütternd durch die gesamte Werkstatt. „Nichts für ungut, mein Freund. Dann würde ich Sie jetzt bitten, mich zurück nach Hause zu fahren. Ihr Chef meinte, das sei bei Kunden wie mir kein Problem." Und mit einem sarkastischen Unterton: „Natürlich nur, wenn Sie schon einen

Führerschein besitzen und über das Lenkrad gucken können."

***

Das Messer drang tief in seine Haut und hinterließ einen blutigen, leicht auseinanderklaffenden Schnitt. Die Schmerzen waren dabei so grausam, so mächtig, dass er fast zu atmen vergaß. Obschon ihm dieses während der letzten Minuten sowieso keinen nennenswerten Sauerstoffgewinn eingebracht hatte, so stark, wie sich seine Luftröhre inzwischen verengt und verkrampft hatte.

Sein Peiniger roch nach Schweiß. Nach ekelig süßlichem Achselschweiß.
Seltsam, dachte er.
Dass ich das in dieser Situation überhaupt wahrnehme.

Unbewusst vernahm er das Gelächter, und er war sich nicht sicher, ob es das Messer oder das Gegröle war, was dafür sorgte, dass sein Herz wie ein totes, nutzloses Stück Fleisch auseinandergerissen wurde.
Er schloss die Augen, sein Atem rasselte. Und während sein Peiniger zu einem weiteren Schnitt ansetzte, spürte er endlich die sich langsam nähernde Ohnmacht.

Danke Gott!
Danke vielmals!

***

Krömer war vor allen anderen Mitarbeitern im Betrieb. Er stempelte seine Karte in der Werkstatt ab, griff sich

einen neuen Arbeitsauftrag aus dem entsprechenden Schubfach, betrat die Verkaufsräume, grüßte seinen Chef, der an einem Computer hinter dem Empfangstresen an einem Schreibtisch saß, und betrat das unverschlossene Büro der Sekretärin. Dort hängte er den Jaguarschlüssel rasch wieder an seinen alten Platz zurück und langte nach einem neuen. Zurück im Verkaufsraum hob er diesen in die Luft, schwenkte ihn ein wenig herum und meinte zu dem am Rechner Sitzenden:
„Ich habe mir dann schon mal den Schlüssel für den Jeep geholt, okay?“
Sein Chef blickte nicht einmal auf, während er antwortete:
„Du bist früh dran heute.“
Krömer lachte laut auf.
„Nur der frühe Vogel fängt den Wurm, Boss. Nur der frühe Vogel!“

***

Er war so aufgeregt wie noch niemals zuvor in seinem Leben. Konnte es wirklich wahr sein, dass sich Meike mit ihm verabredet hatte? Ausgerechnet mit ihm, dem kleinwüchsigen Freak und furchteinflößenden Zwerg? Dem Gespött der gesamten Schule?

Johannes blickte noch einmal auf den Brief und las ihn zum wiederholten Mal.
Doch!
Da stand es.
Schwarz auf weiß.

Meike, der Schwarm aller Jungen in seiner Stufe, wollte sich mit ihm treffen. Und zwar in 30 Minuten auf dem kleinen Spielplatz direkt hinter der alten Turnhalle.

Er legte den Brief auf den Schreibtisch zurück und trat vor die Spiegeltüren seines Kleiderschrankes. Was er sah, erzeugte in ihm denselben Ekel und dieselbe Abscheu wie jedes Mal, wenn er diesen krummen, buckeligen und hässlichen Gnom sah. Doch diesmal versuchte er krampfhaft zu lächeln.
Vielleicht würde sich sein Leben heute ja ändern.
Vielleicht würde er tatsächlich mal so etwas wie Zuneigung, Nähe und Liebe erfahren.
Hatte er es nach all den Jahren des Schmerzes, der Demütigungen, der Sonderbehandlungen und der Herabsetzungen nicht auch einmal verdient, wie ein normaler Mensch behandelt zu werden?
Wie ein ganz normaler Junge?
Wie ein ganz normaler Heranwachsender?
Wie ein Wesen aus Fleisch und Blut mit Herz, Verstand und Gefühlen?
Und nicht wie eine absonderliche Kreatur, die nur durch ihre bloße Erscheinung bei allen scheinbar Normalen Unsicherheit, Angst, Mitleid und Ekel erzeugte?

Entschlossen zog Johannes Krömer den Reißverschluss seines gebraucht gekauften Bundeswehr-Parkas hoch und betrachtete sich ein letztes Mal im Spiegel.
„Ich habe es verdient!“, sprach er schließlich mit nach vorn gerecktem Kinn zu sich selbst.
„Und heute wird der schönste Tag meines Lebens!“

***

Als er mit seinem Fahrrad um die Halle bog, sah er Meike schon auf der Schaukel sitzen. Sie trug ein blaues Sommerkleid und hatte ihre Haare zu einem hübschen Zopf gebunden. Mit klopfendem Herzen stellte er sein kleines Rad ab und tapste unsicher auf sie zu.

„Schön, dass du gekommen bist“, sagte sie und lächelte dabei so zuckersüß, dass Johannes alle Zweifel und Befürchtungen verlor. Er wollte ihr gerade die Hand reichen, so wie er es von seiner äußerst strengen und stets überkorrekten Mutter gelernt hatte, als er aus den Augenwinkeln heraus eine Bewegung hinter der hölzernen Kletterburg wahrnahm. Er drehte den Kopf und sah sie auch schon auf sich zukommen.
„Hey!“, rief der größte und stärkste von ihnen. „Hat Mama den Krüppel für sein erstes Rendezvous fein gemacht?“
Johannes wich erschrocken ein paar Schritte zurück, bis er in seinem Rücken eine eiserne Turnstange fühlte.

Sie waren zu fünft, und alle grinsten und lachten sie, während sie auf ihn herabsahen und einen Halbkreis vor ihm bildeten.
„Oh, schaut ihn euch an“, gluckste der Größte und kicherte vergnügt. „Ich glaube, er hat sich sein Treffen mit der schönen Meike etwas anders vorgestellt.“ Er trat ganz dicht an Johannes heran und begann damit, diesem heftig und grob die Wange zu tätscheln. „Hast wohl gehofft, dass sie dich heute mal ordentlich ranlässt, was, du Spasti?“

Johannes traten die ersten Tränen in die Augen. Dabei drückte er sich so fest gegen die Turnstange, dass sein verwachsener Rücken noch mehr schmerzte als sonst. Zudem spürte er, wie sich sein Asthma meldete. Das Atmen fiel ihm immer schwerer, aber er traute sich nicht, nach dem Spray in seiner Hosentasche zu greifen.

„Schaut mal, was er für ein putziges Kinderfahrrad hat“, ertönte plötzlich eine weibliche Stimme. „Wenn man das so sieht, kann man gar nicht glauben, dass unser kleiner Gollum schon 15 ist.“ Meike durchbrach den Halbkreis der Jungen, Johannes` Fahrrad neben sich herschiebend. Kurz vor dem in die Enge Getriebenen blieb sie stehen und schleuderte das Rad zu Boden.
„Huch!“, rief sie scheinbar erschrocken. „Jetzt ist es mir doch glatt hingefallen.“
Ihr normalerweise so nettes und wundervolles Gesicht hatte sich in eine garstige, abstoßende Fratze verwandelt. Johannes sah sie verständnislos, verletzt und schwer atmend an.
„Warum tust du das, Meike?“, keuchte er. „Ich dachte …“
„Halts Maul, du Freak!“, schnitt ihm der Größte das Wort ab. „Du redest gefälligst nur, wenn du etwas gefragt wirst!“

***

Krömer öffnete das Handschuhfach des Jaguars, griff hinein und zog das Scheckheft hervor. Er schlug es auf, legte es auf die Knie und begann damit, seine Eintragungen bezüglich der Inspektion vorzunehmen.

Nach der schweigsamen, unterkühlten Fahrt mit dem Jaguarbesitzer im größten und neuesten Vorführwagen des Autohauses, den langwierigen und schlussendlich doch komplizierten Arbeiten und dem anschließenden Rüffel von seinem Chef fühlte sich der Mechatroniker ausgelaugt, antriebslos und noch immer innerlich aufgewühlt. Am liebsten hätte er diesem arroganten Wichser zuerst den Lack an seiner beschissenen Protzkarre zerkratzt und danach die teuren Lederpolster aufgeschlitzt, doch er war Profi und zugleich leidgeprüft genug, um es nicht zu tun.

In diesem Augenblick vernahm er plötzlich und wie aus dem Nichts heraus ein Geräusch, das ihn binnen einer Zehntelsekunde zu einer leblosen Statue erstarren ließ. Es klang wie das leise Weinen oder Wimmern eines Kindes, dabei jedoch so blechern und hohl, als käme es aus einer tiefen Höhle, einer finsteren Schlucht oder einem alten, feuchten Keller heraus. So schnell und unangekündigt das Geräusch erklungen war, so schnell und unangekündigt war es auch schon wieder verschwunden.

Krömer versuchte krampfhaft, seinen Schock zu überwinden, legte Scheckheft, Kugelschreiber und Firmenstempel, nun am ganzen Körper heftig zitternd, auf den ledernen Beifahrersitz und blickte sich um. Und dann war es auf einmal wieder da, dieses fürchterliche, grausame Weinen und Schluchzen. Und erneut hielt der Spuk nur für zwei, vielleicht drei Sekunden lang an.

Obschon Krömer vor Angst und inneren Schmerzen, trotz des kaum kontrollierbaren Zitterns, noch immer wie gelähmt wirkte, hatte er verstanden, dass das sich wiederholende, beinahe bestialische Geräusch aus dem geöffneten Handschuhfach gekommen war. Er beugte sich

widerwillig und mit dem Anflug von Panik ein wenig zur Seite, langte erneut in den dunklen, unheilvollen Schlund des Faches und durchsuchte dieses mit blinden, bebenden, nahezu tauben Fingern.
Als die markerschütternden Töne ein drittes Mal erklangen, spürte Krömer eine leichte Vibration an der Kuppe seines rechten Zeigefingers. Er griff zu, und seine Hand umklammerte ein Smartphone, welches ganz hinten im Fach unter mehreren Packungen Taschentüchern und Papieren gelegen hatte.

Krömer betrachtete das Display, das im Inneren des Jaguars in der dämmrigen Werkstatt so unangenehm hell leuchtete wie der nächtliche Suchscheinwerfer eines Polizeihubschraubers. Das Hintergrundbild zeigte ein etwa 10-jähriges Mädchen in einem weißen Unterhemd, welches den Betrachter mit großen, traurigen Augen anstarrte. In der Mitte des kleinen Bildschirmes befand sich ein Kästchen, das dem Mechatroniker penetrant blinkend signalisierte, dass eine neue Nachricht eingegangen war.
Krömer hielt den Atem an, obwohl sein gesamter Körper verzweifelt nach Sauerstoff schrie und lechzte. Er rechnete damit, dass das Weinen und Schluchzen jede Sekunde wieder von neuem ertönen würde, doch das Telefon blieb stumm.
Es schwieg.
Endlich!

Danke Gott!
Danke vielmals!

Er blickte sich abermals nervös und verunsichert um und erkannte, dass alle seine Kollegen in der Werkstatt mit

ihren jeweiligen Aufgaben beschäftigt waren. Niemand beobachtete ihn. Niemand nahm Notiz von ihm – oder von der außergewöhnlichen Situation, in der er sich befand.
Er drückte, halb entschlossen, halb unsicher, auf das Symbol mit der neuen Nachricht und befand sich eine Sekunde später in einem Ordner, der allem Anschein nach ausschließlich Fotos und Videos beinhaltete.
Während er sich noch darüber wunderte, dass das Smartphone nicht passwortgeschützt war, sprang ihn das vollkommene Grauen unvermittelt und mit unfassbar scharfen Krallen und Klauen an. Wie ein gewalttätig rasendes Tier, das sich binnen eines Wimpernschlages durch sein Herz, seine Seele, seine Eingeweide und sein gesamtes Bewusstsein fraß und wütete.

***

Johannes schluckte. Mittlerweile liefen ihm die Tränen völlig unkontrolliert übers Gesicht.
„Schaut mal, wie der Kleine heult", raunte der Größte. „Ich bin mal gespannt, wie er flennt, wenn wir mit ihm fertig sind. Ich wette, der Krüppel pisst sich am Ende noch ein."

Er drehte sich zu den anderen Jungen und Meike um. „Ricky, schneide dem Spasti doch mal die Reifen auf. Sein komisches Puky-Rad kann der gleich sowieso nicht mehr benutzen."
Der Angesprochene, ein dürrer Kerl mit enorm vielen Pickeln und einem dümmlichen Grinsen in der Visage, trat vor, zog ein dünnes Klappmesser aus der Tasche, öffnete es und tat, wie ihm befohlen. Als die Luft zi-

schend aus den Schläuchen strömte, begann die Gruppe begeistert zu grölen und zu applaudieren.
„Und nun wieder zu dir“, flüsterte der Größte nach einigen Sekunden. Er griff Johannes an den Hals und drückte so stark zu, dass dem Kleineren die Luft nun fast komplett wegblieb.
„Ich glaube, dass du die Meike heute hier auf dem Spielplatz vögeln wolltest. Wolltest du doch, oder?“ Die letzten Wörter hatte der Größte so laut und aggressiv geschrien, dass Johannes unzählige Speicheltropfen ins Gesicht stoben.

Er versuchte erfolglos, noch weiter zurückzuweichen. Sein Atem kam inzwischen nur noch stoßweise und schwer. Zudem hörte es sich so an, als hätte er eine Trillerpfeife verschluckt.
„Nein!“, stöhnte der Kleinwüchsige schließlich kraftlos. „Das wollte ich nicht. Das müsst ihr mir glauben.“
Der Größte lachte herzlos.
„Das müssen wir ihm glauben“, rief er seiner Gruppe enthusiastisch zu. „Der Freak meint, wir müssen ihm das glauben.“
Und wieder blickte er Johannes tief in die geröteten, feuchten Augen.
„Weißt du, was ich glaube, du kranker Zwerg? Ich glaube, dass du ein geistesgestörtes, perverses Monstrum bist. Eine verkrüppelte Missgeburt, die heute ein unschuldiges Mädchen auf einem Kinderspielplatz ficken wollte. Ein unschuldiges, kleines, jungfräuliches Mädchen!“
Johannes stotterte unbeholfen und panisch ein paar unverständliche Wörter, doch der Größte schlug ihn ohne Vorwarnung so hart in den Magen, dass er wie ein nasser

Sack in sich zusammensank und vornüber in den weißen Sand kippte.

Und während er wimmernd und nach Luft schnappend auf dem Boden lag, drehte sich der Größte zu seiner Meute um, hob die Hände und faltete sie großtuerisch vor seiner Brust.
„Also, meine Freunde“, stieß er zischend und gefühlskalt hervor. „Ich bin der Meinung, wir zeigen dieser Missgeburt jetzt einmal, wie ordentliche und verantwortungsbewusste Menschen mit perversen, geistesgestörten und kranken Monstern umgehen sollten. Was denkt ihr?“
Gejohle, klatschende Hände, geifernde Münder, primitive Fratzen voller brutaler, animalisch urtrieblicher Vorfreude.

„Ich werte das mal als Zustimmung“, kommentierte der Größte das chaotische, menschenunwürdige Tohuwabohu sichtlich vergnügt. „Dann soll es geschehen!“
Er senkte den Blick, drehte den Kopf und betrachtete den im hellen, unschuldigen Sand liegenden, keuchenden und weinenden Jungen mit einer Mischung aus Abscheu und Genugtuung.
„Tom, Ralle und Steve! Ihr haltet den Perversen fest und zieht ihn komplett aus. Seine Klamotten könnt ihr direkt da hinten im Mülleimer verbrennen. Meike, du holst die Kamera aus meinem Rucksack. Und Ricky, ich glaube, wir brauchen dein Messer nochmal.“

***

Während der Mittagspause ging er erneut in den Verkaufsraum. Sein Chef saß noch immer so auf seinem

Platz, als hätte er diesen während der letzten Stunden nicht für eine Sekunde verlassen.
„Ist der Jaguar eigentlich schon abgeholt worden?", fragte Krömer wie beiläufig, während er sich scheinbar lässig gegen den für ihn viel zu hohen Tresen lehnte. Natürlich hatte er längst bemerkt, dass das Luxusauto nicht mehr an seinem Platz stand. Leider war er während des ganzen Vormittages so beschäftigt gewesen, dass er es nicht mitbekommen hatte, wie der arrogante und perverse Scheißer sein graues Kätzchen vom Hof gejagt hatte.
Der Inhaber des Autohauses blickte kurz in seine Richtung.
„Ja! Vor etwa einer Stunde."
„Und?", wollte Krömer wissen, dessen Herzschlag sich rasant beschleunigte. „Irgendetwas Besonderes?"
„Nö", nuschelte sein Boss gedankenverloren. „Alles normal."
„Hat er Trinkgeld dagelassen?"
Der Chef sah erneut zu seinem Mitarbeiter, und diesmal verharrte sein Blick ein wenig länger auf dem Gesicht des Mechatronikers.
„Wovon träumst du nachts? Wir sind unterprivilegierte, ölverdreckte Handlanger – keine Edelnutten."

***

In dem Ordner befanden sich ausschließlich Fotografien und Filme von Kindern in den unterschiedlichsten pornografischen Situationen und Stellungen. Alle waren sie spärlich bekleidet oder vollständig nackt, alle wurden sie grausam misshandelt, vergewaltigt oder missbraucht – und alle erlitten sie Höllenqualen.

Während die Jungen und Mädchen, allesamt ungefähr zwischen drei und fünfzehn Jahre alt, stets vollends im Bild und in ihrem Leid für den Zuschauer gut und deutlich sichtbar waren, traten die aktiven, agierenden, quälenden Erwachsenen, die aktiven, agierenden, quälenden Teufel nicht in Erscheinung, nicht ins Bild.
Da und dort sah Krömer nur einzelne erwachsene, ausgewachsene Körperteile.
Da einen behaarten Rücken, dort einen glatzköpfigen Hinterkopf.
Aber niemals ein Gesicht.
Niemals eine ganze Person.

Dem Mechatroniker schossen glühend beißende Tränen in die Augen, während er wie in Trance, wie unter Zwang, ein Foto und Video nach dem anderen betrachtete.
Die Aufnahmen waren von unterschiedlicher Qualität. Einige schienen neu und mit hochwertigen Kameras aufgenommen worden zu sein. Andere hingegen wirkten sehr viel älter, verwackelter und grobkörniger. Es gab sogar Schwarz-Weiß-Fotos mit ausgefransten Rändern und Rahmen in diesem absurd brutalen Sammelsurium der menschlichen Schande.

Krömer fühlte, wie sich ihm die Luftwege verengten, wie sein Atem zu rasseln begann. Er wollte gerade nach dem Spray in der Hosentasche greifen, als sein Herz explodierte, als es ihn zerriss, als er zum wiederholten Male in seinem Leben elendig verreckte, krepierte und innerlich starb.

Beim fahrig verschwommenen Blick auf den Jungen, der da mit weit aufgerissenen Augen und blutenden Genitalien heulend auf dem Bildschirm zum Leben, zum Sterben erwachte, spürte Krömer, dass er in einen Strudel hineingerissen wurde, aus dem es kein Entrinnen mehr gab. Er begann zu keuchen, begann zu husten, bemerkte, wie sein Mageninhalt brennend und bitter in seine Mundhöhle schoss, realisierte nicht, dass er diesen krampfhaft wieder herunterschluckte, und realisierte schon gar nicht, dass er nun gemeinsam mit dem Jungen auf dem Bildschirm weinte, heulte und litt.

Erneut weinte, heulte und litt.

Mit dem blutenden, schreienden, schwer atmenden Jungen auf dem Bildschirm, der nicht nur Krömers kleinwüchsige, verwachsene Gestalt besaß, nicht nur dessen auffälligen Buckel, sondern auch sein Gesicht, seine Augen und sein vergewaltigtes Herz.

***

Daheim hängte er seine Jacke nachlässig an die Garderobe, zog das Asthmaspray aus der Hosentasche und hastete beinahe stolpernd ins Wohnzimmer, vorbei an schäbigen, alten Möbeln und den vier Terrarien, in denen seine Schlangen schläfrig und unwissend selig vor sich hin dösten.
Krömer wusste, dass seine Mutter um diese Uhrzeit tief und fest in ihrem Zimmer schlief, ihn also mindestens während der nächsten halben Stunde nicht stören würde.

Er warf sich nervös und mit wild rebellierendem Herzen auf das durchgesessene, fleckige Sofa, schleuderte den Inhalator auf den Beistelltisch, griff nach der Fernbedienung und wählte einen Sender, der gerade Lokalnachrichten brachte.
Und das Leben wollte, dass es bereits der zweite Beitrag war, auf den Krömer den ganzen Tag lang gewartet hatte. Auf dem Bildschirm war ein brennendes Auto zu sehen, welches mitten auf der Straße vor einer Bushaltestelle stand. Die Filmaufnahme wirkte so, als sei sie mit einem privaten Smartphone aufgenommen worden.

„In der Berliner Innenstadt ereignete sich heute Mittag ein folgenschwerer Unfall. Auf einer vielbefahrenen Straße explodierte aus noch unbekannten Gründen ein PKW, der anschließend komplett ausbrannte."

Krömer ballte die Fäuste, sprang in die Höhe und schrie wie von Sinnen mit atemloser Stimme:
„Du alter, beschissener Bastard! Verrotte in der Hölle!"

„Wie ein Polizeisprecher mitteilte, ereignete sich die gewaltige Explosion direkt in der Nähe einer Bushaltestelle, an der sich zum Zeitpunkt des Unglücks etwa zwanzig Personen aufhielten. Zehn Personen wurden zum Teil schwer verletzt, eine Mutter und ihr 3-jähriger Sohn verstarben noch direkt am Unfallort."

Krömer sank mit schockgeweiteten, ungläubigen Augen wie in Zeitlupe zurück aufs Sofa, während sich seine Atemwege so schlagartig verengten, als hätte jemand dickflüssigen, zähen Beton in sie hineingegossen.

„Ebenfalls ums Leben kam der einzige Insasse des explodierten Autos. Wie unser Sender aus zuverlässiger Quelle erfahren hat, handelte es sich bei dem Fahrer des silbergrauen Jaguars um einen 19-jährigen Schüler, der während der letzten Wochen zu einer lokalen Berühmtheit in Berlin und Umgebung geworden war, da er im Internet eine Corona-Hilfsgruppe mit inzwischen mehr als 3500 Mitgliedern gegründet hatte, die es sich zur Aufgabe gemacht hat, ältere und infizierte Mitbürger im Alltag zu unterstützen. Diese Quelle teilte uns ebenfalls mit, dass dieser Schüler heute Mittag den Wagen eines Coronainfizierten von einer Werkstatt abgeholt hatte. Der Besitzer des Jaguars, ein erfolgreicher Bauunternehmer aus der Stadt, befindet sich seit gestern Abend in häuslicher Quarantäne. Auf Anfrage unseres Senders ließ er über seinen Anwalt mitteilen, dass er geschockt sei und sich nicht erklären könne, wie es zu dem Unglück habe kommen können. Er selber sei vergleichsweise wohlauf und habe nur leichte Krankheitssymptome."

***

Mit der Ohnmacht kam die Macht.
Und der Traum.
Und es war derselbe Traum wie immer.

Danke Gott!
Danke vielmals!

Er stand wuchtig, unbesiegbar, muskulös und hoch aufgerichtet in einem eisern schimmernden Kettenhemd auf einem Berg aus Leichen. In der rechten Hand hielt Jo-

hannes Krömer ein glänzendes Schwert, in der linken eine riesige Streitaxt.
Er reckte das verwegene Kinn, während der Wind ihm sein langes Haar ins blutverschmierte, bärtige Gesicht wehte.
Am Horizont verschwand die Sonne in einem Meer aus fauchendem Feuer, und die Hitze der gelebten Rache durchfloss seinen gestählten Körper wie 1000 Grad heiße Lava.
Schließlich senkte er den Blick, betrachtete die verstümmelten, zerfetzten Toten und lächelte beinahe sanftmütig.
„Ihr werdet euch nie wieder über einen Menschen wie mich erheben. Euch nie wieder an dem Leid und der Angst anderer ergötzen und aufgeilen. Nie wieder!“

Und die Erde, der Himmel, die Meere, das Universum und das große Alles vereinigten sich zu einer globalen, überglobalen, nie dagewesenen göttlich teuflischen Macht und sogen und zogen den siegreichen und doch für immer und für alle Zeiten verlorenen Kämpfer und Ritter direkt in ihr leuchtendes Innerstes, in ihre warme, lebensspendende, pulsierende und doch menschenleere Mitte hinein.

Um von nun an endlich und für alle Ewigkeiten auf ihn achtzugeben – und um ihn niemals mehr wieder loszulassen.

So, wie er es verdiente und immer verdient hatte.
So, wie es ihm vom Leben stets vorausbestimmt war.

Bei Luigi

Oh, wie er es genießt, wenn ihn die neidischen Blicke der mittäglichen Gäste mit Schlägen eindecken. Wie er es liebt und braucht, wenn diese vom Leben Gebeutelten in ihren Grün-, Weiß- oder Blaumännern in ihm direkt und unmittelbar das sehen, was er seit seiner völlig unerwarteten Erbschaft von vor einem Jahr selbst im Spiegel entdeckt: Einen literarischen Freigeist, einen unabhängigen Lebenskünstler und intellektuellen Kurzgeschichtenautor, der es sich leisten kann, schon tagsüber mit Laptop, übereinandergeschlagenen Beinen und Chianti in der Öffentlichkeit seinen Gedanken nachzuhängen, um diese schließlich in höchst kreativer Weise zu immer neuen Stories zu verarbeiten.
Er sitzt, wie jeden Mittag, an dem kleinen Einzeltisch bei seinem Lieblingsitaliener. Dass sein Luigi eigentlich Mahmut heißt und Türke ist und über dem Eingang lediglich ein unansehnliches Schild mit der Aufschrift „Döner-Imbiss“ hängt, kratzt ihn nicht die Bohne. Spielt sich das wahre Leben nicht ausschließlich in den Köpfen der Menschen ab?

***

Der unbekannte Fremde betritt die Gaststätte um kurz nach zwölf. Die rechte Faust hält den Griff einer lächerlich großen Pistole umklammert, und sein Gesicht drückt eine grimmige Entschlossenheit aus, die selbst Rambo das Herz in rasantem Tempo in die schmuddelige Tarnhose hätte rutschen lassen. Anstatt sich artig in die Schlange einzureihen, stürmt der Böse beherzt an eben dieser vorbei, ignoriert den „Hey, hinten anstellen, du

Dumpfbacke!“-Ruf eines massigen Bauarbeiters geflissentlich und lässt Luigi-Mahmut eine Sekunde später in den geölten Lauf seiner Kanone blicken.

„Hände hoch und Geld her! Und zwar genau in dieser Reihenfolge, sonst verpass ich dir ein drittes Auge!“
Unauffällig und geräuschlos stellt der Dichterfürst den Klapprechner zur Seite, nippt noch einmal an seinem Wein, erhebt sich mit der Geschmeidigkeit einer Wildkatze und der inneren Ruhe eines Profikillers, schleicht sich von hinten an den Unerzogenen heran, dreht diesen blitzschnell herum, entwaffnet ihn und sitzt einen Augenblick später auch schon cool grinsend auf dessen zitterndem Oberkörper, während sämtliche Gäste im Lokal begeistert applaudieren, La-Ola-Wellen zelebrieren, mit ihren Smartphones seine ungelesenen Bücher im Internet bestellen und Luigi-Mahmut eine Flasche Champagner entkorkt. Er streckt die Faust in den vergilbten Imbisshimmel und genießt den Triumph seines Lebens und seine fünf Minuten Ruhm.

***

„Könnten Sie sich in Zukunft wohl zuhause besaufen? Schauen Sie sich doch mal die Sauerei an, die Sie hier veranstaltet haben. Was sollen denn die anderen Gäste von Ihnen denken?“
Er öffnet die glücklich verklärten Augen und realisiert binnen eines Wimpernschlages nicht nur, dass sein geliebter Luigi-Mahmut ihn wütend anstarrt, sondern auch, dass er den kompletten Inhalt seines Weinglases während seiner uneigennützigen Tagtraum-Rettungsaktion über Klapprechner, Tisch und die übereinandergeschlagenen

Beine verteilt hat. Er richtet sich ein wenig auf, schluckt das Gefühl der plötzlich aufkeimenden Verlegenheit herunter und beginnt damit, seinen Platz mit der Papierserviette zu reinigen – und das alles unter den verständnislosen Augen der vom Leben Gebeutelten in ihren Grün-, Weiß- und Blaumännern.

„Was für eine Dumpfbacke!“

Die ersten richtigen Ferien

Die Sonne schien so strahlend und heiter vom Himmel herab, als würde sie sich mit den beiden kleinen Mädchen um die Wette freuen.

Esta und Sahra waren glücklich.
Sie trugen ihre hübschesten Kleider – und ihre buntesten Koffer in den Händen.

Als sie mit ihrer Mutter den Bahnhof erreichten, warteten dort schon viele weitere Reisende auf das Eintreffen des Zuges. Und alle waren sie aufgeregt, und Wolken aus Stimmen hingen in der Luft.
Esta blickte ihre Mama an.
„Fahren die etwa auch alle in den Urlaub?“
Die Mutter lächelte.
„Na, ich denke schon. Es ist doch Sommer, und alle Leute haben ihr Gepäck dabei.“
Sahra hatte vor Erregung ganz rote Wangen.
„Und es gibt in dem Feriencamp auch ganz sicher einen Badesee?“
„Natürlich!“, antwortete die Mutter. „Und Schokoladeneis und ganz viele zahme Tiere.“

In diesem Augenblick fuhr der Zug in den Bahnhof ein, und die ersten Menschen bestiegen die Waggons.
Esta, Sahra und ihre Mutter ergatterten einen Platz im letzten Wagen, die drei Koffer zwischen ihren Knien.
„Mama“, flüsterte Sahra. „Ich freue mich sooo unglaublich. Du dich auch?“
Die Mutter strich ihrer Tochter übers Haar.
„Und wie ich mich freue. Das werden tolle Ferien.“

„Wenn wir ankommen, packe ich direkt meinen Badeanzug aus“, meinte Esta. „Hoffentlich ist der See nicht zu kalt.“
„Ist er nicht, mein Engel. Ganz bestimmt nicht.“

Die Mutter betrachtete ihre beiden Töchter voller nie gekannter Liebe, voller Stolz und Bewunderung.

Und die Gefühle in ihr ließen sie innerlich erbeben und beinahe verbrennen. Langsam schloss sie für einen Moment die Augen.

Als sie sie wieder öffnete, war die Welt um sie herum schwarz-weiß.
Und sie wusste, dass sie alle ihre Kräfte bündeln und aktivieren musste, um die Farben für ihre beiden Mädchen zurückzuholen und so lange wie möglich am Leben zu erhalten.

In diesem Augenblick ging ein Zittern durch den Waggon, und der Sonderzug setzte sich langsam, gemächlich und dennoch unaufhaltsam in Bewegung.

Richtung Auschwitz.

Neverending Story

Die 5-jährige Erna reckte sich stolz, erwachsen und würdevoll auf dem Fahrersitz, während sie versuchte, durch die Windschutzscheibe des Wagens zu sehen. Dann drückte sie begeistert und weise kichernd auf die Hupe.
Der hohe, markerschütternde und durchdringende Ton ließ ihre Mutter, die gerade dabei war, den Kofferraum auszuladen, wie ferngesteuert und konditioniert zusammenfahren. Sie richtete sich ruckartig auf und stieß dabei mit unbarmherziger Wucht mit dem Schädel gegen die noch offen stehende, brutal harte, scharfkantige Kofferraumklappe.

Eine Sekunde später brach sie schließlich komplett blutüberströmt und ohnmächtig hinter dem Auto zusammen. Dabei glitt ihr die Einkaufstüte mit dem marinierten Aldi-Fleisch und dem frischen Fisch, den sich ihr Bruder, den sie nur einmal pro Jahr sah, für den heutigen Grillabend gewünscht hatte, aus der Hand und fiel ebenfalls zu Boden. Jedoch ohne zu bluten, ohne sich wehzutun und ohne ohnmächtig zu werden.

***

Ernas Vater eilte wild fluchend herbei. Er hatte gerade eine Sportübertragung im Fernsehen verfolgt und wischte seiner Frau nun mit einem Tuch, das er in der Garage gefunden und zuletzt bei einem Ölwechsel benutzt hatte, das Blut aus dem Gesicht.
Wenig später kam Ernas Mutter glücklicherweise stöhnend und noch immer leicht benommen wieder zu sich. Die Wunde am Kopf sah nicht gut aus, und das Ehepaar

entschied nach einer längeren, sehr lebhaften Diskussion, die Sportübertragung im Fernsehen war schließlich noch nicht beendet, mit dem Wagen ins Krankenhaus zu fahren.

***

Sie hinterließen ihrer größeren Tochter, die höchstwahrscheinlich gerade entweder bei einer Freundin zum fleißigen Matheüben war oder sich wie sonst nutzlos am Bahnhof herumtrieb, eine Nachricht an der Haustür, in der sie klug formuliert darauf hinwiesen, dass der Schlüssel dort sei, wo er sich immer befand, wenn keiner daheim war, warfen die kleine Erna wie einen Sack Kartoffeln auf den Rücksitz und rasten los.

Daran, die zu kühlenden Lebensmittel ins Haus zu bringen, dachte niemand, sodass die Tüte mit dem marinierten und von Aldi so sorgsam eingeschweißten Fleisch und dem frischen Fisch in der prallen Mittagssonne in der Garageneinfahrt liegen blieb.

***

Unterwegs wurden sie vor einem Waldorfkindergarten von zwei äußerst engagierten Polizisten angehalten, die sie freundlich aber sehr bestimmt darauf hinwiesen, dass Ernas Vater die innerörtlichen Geschwindigkeitsvorgaben um exakt 35 Stundenkilometer überschritten hatte.

Sie zeigten den Anflug von Verständnis für die Situation der Familie, vor allem, nachdem sie die Mutter mit ihrem noch immer blut- und ölverschmierten Gesicht auf dem

Beifahrer- und Kartoffel-Erna auf dem Rücksitz gesehen hatten. Sie meinten jedoch, dass der Mann dennoch mit einem hohen Bußgeld und einem 4-wöchigen Fahrverbot rechnen müsse. Schließlich könne man nicht jedes Mal eine Ausnahme machen, wenn eine 5-Jährige auf die Hupe drücke.
Außerdem hielten sie es für irgendwie ungünstig, dass der Fahrer so völlig ohne Fahrzeugpapiere und Ausweise unterwegs war und am Wagen zudem sämtliche drei Bremslichter defekt waren. Und dass der Vater beim Fahren nachweislich versucht hatte, mit dem Handy eine Sportveranstaltung online zu streamen, fanden die in modisch modernes Blau Gekleideten ebenfalls nicht witzig.
Dass Ernas Vater LKW-Fahrer war, gerade die Arbeitsstelle gewechselt hatte und sich noch in der Probezeit befand, womit er definitiv auf einen gültigen Führerschein angewiesen war, quittierten die Beamten lediglich mit einem cool einstudierten Achselzucken.

***

Auf dem gigantischen Krankenhausparkplatz schrammte Ernas Vater vor Aufregung, überschüssiger Energie und evolutionsbedingtem Tatendrang beim Einparken mit seinem alten Ford ganz, ganz leicht an einem neuen Mercedes SLK entlang.

Da er es eilig hatte und außerdem weit und breit weder Stift noch Zettel zu finden waren, kümmerte er sich, nach zwei beherzt wütenden Tritten gegen die Beifahrertür des teuren deutschen Sportwagens, nicht weiter um die lästige Angelegenheit. Er nahm sich aber vor, dieses nach der Behandlung seiner Frau, oder zumindest nach der Been-

digung der Sportübertragung im Fernsehen, umgehend und zeitnah nachzuholen.
Ernas Vater wusste schließlich, was sich gehörte.

***

In der Notaufnahme herrschte emsiges und reges Treiben. Überall hockten, saßen, lagen, krümmten sich Schwerverletzte mit winzigen, stecknadelgroßen Blutergüssen, kaum spürbaren Verstauchungen oder unsichtbaren Sonnenbränden hemmungslos schreiend, röchelnd und sterbend herum.
Ernas Vater meldete seine Frau bei einer grimmig dreinblickenden Oberschwester an und stritt sich anschließend mit einem älteren Herrn im dunklen Anzug, weil dieser seinen Sitzplatz nicht für seine verletzte Gattin freimachen wollte, obwohl dieser just in diesem Augenblick wieder schwindelig wurde und der ältere Herr nur seine aufgetakelte Frau begleitete, die sich beim Gurkenschälen in den kleinen Finger der linken Hand geritzt hatte.

Nach drei Ohrfeigen und einem halben Dutzend Bedrohungen meinte der ältere Mann ein wenig pikiert, dass das für Ernas Vater Konsequenzen haben und dass er ihn wegen Körperverletzung, Bedrohung, Nötigung und Beleidigung selbstredend anzeigen würde.
Ernas Vater war das egal; er wollte nur, dass seine Frau sitzen und sich ein wenig ausruhen konnte. Außerdem hatte er noch die Hoffnung, das Ende der Sportübertragung doch noch irgendwie live miterleben zu können.
Schließlich wusste er, was sich gehörte. Und er wusste, dass ein Mann immer das tun musste, was ein Mann tun

muss. Für seine geliebte Familie – und natürlich für sich selbst.

***

Während Erna im Warteraum nicht ganz verstand, dass man den Hahn am Wasserspender wieder schließen sollte, nachdem man seinen Pappbecher gefüllt hat, und auf diese Weise den kompletten Fußboden überflutete, freuten sich zwei völlig Fremde vor der Haustür der Familie sehr über die komplett durchdachte Nachricht der Eltern.

Die Geduld, nach dem Schlüssel zu suchen, brachten sie letztlich nicht auf. Da sie jedoch wussten, dass niemand zuhause war, hatten sie kein Problem mit den Geräuschen, die beim Aufbrechen der Terrassentür verursacht wurden.
Mehr Probleme entstanden jedoch, als die große Tochter wenige Minuten später den Schlüssel unter dem Blumentopf neben der Eingangstür hervorholte, das Haus betrat und die Diebe beim Durchwühlen sämtlicher Schränke und Schubladen erwischte.
Dass sie in diesem Moment laut aufschrie und nach dem Telefon greifen wollte, um die Polizei zu rufen, machte die Sache für die zwei unbekannten Fremden nicht gerade angenehmer. Auch die Tatsache, dass einer der Ghetto-Vorstadt-Gangster, er trug ein brutal böses „Mama ist die Beste“-Tattoo auf dem muskelbefreiten Oberarm, meinte, dass die Kleine ja ihre verwegenen Gesichter gesehen habe und sie nun jederzeit wiedererkennen könne, trug nicht zur Entspannung der Gesamtsituation bei.

***

Im Krankenhaus wurde Ernas Mutter, nachdem man zuerst mehrere Minuten verzweifelt versucht hatte, ihr das Motoröl aus dem Gesicht zu waschen, mit 78 Stichen genäht, während eine fremdsprachige polnische Putzfrau fremdsprachige polnische Flüche und Verwünschungen beim Wischen des Wartebereichs ausstieß und die Dummheit der unerzogenen und verwöhnten deutschsprachigen deutschen Kinder bemängelte.

***

Auf dem Parkplatz des Krankenhauses erklärten vier sehr diszipliniert wirkende Polizeibeamte Ernas Vater etwa zwei Stunden später ungemein ausführlich, dass es eine Straftat sei, das Auto eines anderen Bürgers zu beschädigen und sich anschließend einfach vom Ort des Geschehens zu entfernen.
Der ältere Herr im dunklen Anzug, der die Gelegenheit nutzte, um den Unfallflüchtigen nun auch endlich wegen Körperverletzung, Bedrohung, Nötigung und Beleidigung anzuzeigen, wollte zudem nicht ganz glauben, dass Ernas Vater das Malheur mit den Schrammen, und vor allem die deutlich sichtbaren Fußtritte gegen die Beifahrertür des teuren deutschen Sportwagens, gerade bei seinem Auto passiert war, wo doch noch mindestens 1250 weitere Fahrzeuge auf dem Parkplatz standen.

***

Auf dem Rückweg gerieten sie schließlich erneut in die dumme und unpassende Situation, im Bereich des Waldorfkindergartens zu schnell unterwegs zu sein. Dass Ernas Vater das Grillfleisch als Grund für die halsbrecherische Raserei anbrachte, er war diesmal fast 60 Stundenkilometer zu schnell gewesen, das sich seit Stunden in einer Plastiktüte in der Sonne befand und lustig vor sich hin garte, leuchtete den beiden Polizisten, die begeisterte Barbecue-Fans waren, selbstverständlich sofort ein.

Die Sache mit der schwerverletzten und ölverschmierten Ehefrau hätten sie ja nicht so einfach durchgehen lassen können, aber vergammelndes Grillfleisch und frischer Fisch waren da etwas ganz anderes. Sie waren, ob der besonderen Situation, sogar bereit, die 35 eventuell zu schnell gefahrenen Stundenkilometer von vor knapp drei Stunden um 20 Stundenkilometer nach unten zu korrigieren, sodass sich Ernas Vater nun auch keine Sorgen mehr um seinen so dringend benötigten Führerschein machen musste.

***

Zuhause erwartete sie eine äußerst gut gelaunte, lächelnde und zufriedene ältere Tochter. Sie hatte sich mit den beiden netten, unbekannten Fremden darauf geeinigt, das von ihnen nach längerer gemeinsamer Suche im Haus gefundene Bargeld einfach gerecht aufzuteilen. Auf diese Weise hatten alle etwas davon, und keine Seite könnte die andere anschließend bei der Polizei verpfeifen, ohne sich selbst strafrechtlich zu belasten.
Dieser Vorschlag, der den beiden unbekannten aber irgendwie liebenswürdigen Dieben und Ghetto-Gangstern selbstverständlich von der wohlerzogenen Tochter des Hauses unterbreitet worden war, gefiel diesen so gut, dass sie von ihrem Vorhaben, die lästige Zeugin mit schweren Betonblöcken im örtlichen Kanal für immer

verschwinden zu lassen, Abstand nahmen und begeistert einschlugen.
Einer der beiden Halunken, ein gelernter Fenster- und Türenbauer aus der Nachbarstadt, war sogar so nett gewesen, den von ihnen verursachten Schaden an der Terrassentür wieder so zu beheben, dass man anschließend kaum noch etwas von dem Einbruch sah. Er war zudem so aufmerksam und zuvorkommend, die älteste Tochter des Hauses vor dem Verschwinden mit ihrem geklauten und absolut unauffälligen Kastenwagen noch auf die Einkaufstüte mit den Lebensmitteln in der Garagenauffahrt hinzuweisen.
Das hatte die älteste Tochter so dermaßen beeindruckt, dass sie sich direkt in den sympathischen Fensterbauer aus der Nachbarstadt verliebte und nach seinem Namen und seiner Handynummer fragte. Drei Minuten nach der spektakulären und filmreifen Flucht der beiden Schwerverbrecher folgte sie ihm auf Instagram und hatte ihm bereits acht Nachrichten auf WhatsApp geschrieben, um sich mit ihm für den Folgetag zu einem Rendezvous zu verabreden.

***

Der in Papier gewickelte Fisch war nicht mehr zu retten gewesen und roch bereits wie ein in Papier gewickelter Fisch, den man bei 33 Grad im Schatten mehrere Stunden lang in einer Garagenauffahrt liegen lässt. Das von Aldi äußerst professionell in Plastik eingeschweißte marinierte Fleisch hingegen roch, zumindest von außen, noch ganz passabel und köstlich.

***

Die wohlgeratene Gutgelaunte, die sich in ihrem blonden Köpfchen schon ausmalte, was sie mit ihren neu erworbenen 350 Euro so alles anfangen könnte, wunderte sich ein wenig über das schmierige Motoröl im Gesicht ihrer Mutter, stellte aber keine weiteren Fragen. Schließlich kannte sie ihre Eltern schon ein, zwei Jährchen und wusste, dass die Antwort auf eine scheinbar unbedeutende Frage oftmals eine sehr, sehr lange Geschichte nach sich zog.
Stattdessen meinte sie nur zu Ernas Vater, der ja nach ihrem Wissensstand auch ihr eigener war, dass sie noch einmal wegmüsse. In der Schule hätte die uralte, greise, grauhaarige Pädagogiklehrerin, die sich seit mehreren Monaten angeblich im Mutterschaftsurlaub befand, an die Tafel geschrieben, dass die Schüler jetzt ein ganz bestimmtes Handy für den Unterricht benötigten. Und nun wollte sie los, weil es genau diese Dinger zurzeit im MediaMarkt besonders günstig zu kaufen gäbe.

Ernas Vater, dem es nach dem Krankenhauserlebnis, den zig Anzeigen des Mercedesfahrers und dem verpassten Sportereignis im Fernsehen irgendwie nicht mehr nach kräfteraubenden Diskussionen zumute war, willigte nach einer mehrsekündigen Zeitspanne des intensiven Nachdenkens ein und ließ sich sogar breitschlagen, seine älteste Tochter mit dem Wagen in die Stadt zu fahren, weil er ja sowieso noch Fisch kaufen musste.

Nachdem Ernas große Schwester ihren Vater darauf hingewiesen hatte, dass es die von der beurlaubten Pädagogiklehrerin empfohlenen Handys selbst im MediaMarkt seltsamerweise nicht gratis zu bekommen gäbe und dass es sich doch im eigentlichen Sinne um eine Schulanschaffung handelte, versprach dieser der Gutgelaunten, sich mit der Hälfte an dem Wunder-Mobiltelefon zu beteiligen. Er bat die Große jedoch, das Geld erst einmal vorzustrecken und das Handy mit ihrer Sparkassenkarte zu bezahlen, da er im Haus komischerweise kein Bargeld vorfinden konnte, obwohl er sich sicher gewesen war, noch eine größere Summe zuhause gehabt zu haben.

***

Der Abend wurde, nachdem der Bruder von Ernas Mutter endlich eingetroffen war, schließlich doch noch ganz schön. Fisch und Fleisch schmeckten so, wie frischer Fisch und mariniertes Aldi-Fleisch vom Grill halt schmecken, wenn sie von zwei absoluten Grillmeistern zubereitet werden, die spontan vorbeikommen und die in ihrer Freizeit als Polizisten Verkehrssünder und blutrünstige Serienmörder fangen.

Ernas große Schwester übte die ganze Zeit mit ihrem neuen Smartphone Mathematik oder Pädagogik für die Schule, ihre Mutter versuchte zwischenzeitlich immer wieder, sich die irgendwie doch nervenden, hässlichen und störenden Ölstreifen aus dem Gesicht zu wischen, und alle anderen genossen einfach nur so das sommerliche Grillfest im Kreise der Familie nach einem heißen „Tour-de-France“-Tag.

***

Als sich die beiden staatlich anerkannten und verbeamteten Grillexperten in Blau gegen drei Uhr nachts schließlich volltrunken und grölend verabschieden wollten, bat die kleine Erna, die durch den Gesang der Streifenhörnchen aufgeweckt worden war, darum, sich einmal hinter das Steuer des Streifenwagens setzen zu dürfen.

Nachdem ihr Antrag ordnungsgemäß geprüft und sie die schriftliche und bürokratisch korrekte Erlaubnis bekommen hatte, kletterte sie stolz wie Oskar hinter das Lenkrad des Polizeiautos.
Während einer der Blauen dabei war, die mitgebrachte professionelle Grillausrüstung im Kofferraum zu verstauen, drückte Erna durch Zufall und natürlich völlig unbeabsichtigt zunächst auf die Hupe und anschließend auf den Knopf, mit dem das Martinshorn ausgelöst wurde.

Dass der freundliche Polizist und Grillfreund hinter dem Streifenwagen dabei wie konditioniert zusammenzuckte und zunächst mit dem Kopf mit voller Wucht gegen die noch geöffnete Kofferraumklappe stieß und anschließend ohnmächtig und blutüberströmt zu Boden ging, soll an dieser Stelle keine weitere Beachtung finden und natürlich protokollmäßig auch nicht erwähnt werden.

Denn das, was sich danach alles entwickelte, abspielte und ereignete, ist eine andere sehr, sehr lange Geschichte und soll ein anderes Mal erzählt werden.

Der Retter

Die Nacht war kalt, der Sturm traf hart.
Der Mann mit dem verwilderten Bart
stieg aus seinem schwankenden Boot
und griff nach dem Sack mit vertrocknetem Brot.

Er trat schnaufend und fluchend an Land,
versank fast im dunklen, tiefschweren Sand.
Schulterte das absurde Gewicht
und stapfte indes mit ernstem Gesicht
durch die schäumende, fauchende Gischt.

Und dann erreichte er das verfallene Haus.
Eine Maske des Todes sah schüchtern heraus.
Verhungerte Augen, entseelter Blick,
poröse Haut, um den Hals schon den Strick.

Er trat gegen das Holz, es splitterte auf.
Was er erwartet hatte, war nicht dieser Lauf
seiner eigenen Flinte, die sich feuernd erbrach
und ihm 1000-fach in die Haut hineinstach.

Die lebende Leiche starrte ihn an.
Den vertrauten, ausatmenden, sterbenden Mann.
Wie er da lag, auf dem Sack voller Brot.
Der Retter und Vater – und nun war er tot.

Der Wandler

Er schrie so laut und durchdringend, als würde ihn jemand bei lebendigem Leibe langsam in zwei Hälften reißen. Der Schrei war dabei so abgrundtief schrecklich und weltentrückt, dass bei seinem Klang auch wirklich nichts mehr an ein menschliches Wesen erinnerte.
Georg starrte mit weit aufgerissenen Augen auf seine Frau, die blutüberströmt und mit grässlich verzerrtem Gesicht in Rückenlage auf ihrer Seite des gemeinsamen Ehebettes lag. Beleuchtet von der kleinen Nachttischlampe, neben der ihr Handy, unschuldig und zum Schweigen verdammt, vor sich hin schlummerte.
Das ursprünglich cremefarbene Seidennachthemd war komplett rotdurchtränkt und aufgrund von zahlreichen Messerstichen völlig zerfetzt. Helenes Augen schimmerten glasig. Ihr Blick wirkte leer und ausdruckslos, während zugleich Verzweiflung und Entsetzen in ihm lagen.

Georg fiel neben dem Bett auf die Knie, wobei er beinahe das verschmierte Küchenmesser berührte, das vor ihm auf dem Teppich lag. Er griff nach einer Hand seiner Gattin, zog sie zu sich heran, presste sie gegen seine linke Wange und schrie, wimmerte und heulte erneut wie ein verwundeter Wolf.

***

Sekunden später wurde die Tür des Schlafzimmers aufgerissen, und Daniel stand im Türrahmen. Sein Gesicht verlor augenblicklich sämtliche Lebensfarbe.
„Papa?“

Georg drehte den Kopf und blickte seinen Sohn verwirrt und völlig klar zugleich an.
„Ich habe sie getötet“, kam es schließlich gepresst zwischen seinen zitternden Lippen hervor. „Ich habe deine Mutter getötet.“

***

„Herr Dr. Krump. Wie es aussieht, leiden Sie unter einer besonders ausgeprägten und recht selten auftretenden Form des Somnambulismus oder auch der Somnambulie, was im allgemeinen Sprachgebrauch auch als Schlaf- oder Nachtwandeln bezeichnet wird.“
Georg und Helene saßen, um Haltung und Contenance bemüht, vor dem Schreibtisch des Professors. Georg räusperte sich und erwiderte mit einem strengen Unterton:
„Nun, das ist uns jetzt nicht neu, Herr Professor. Schließlich sind wir ja genau deshalb zu Ihnen gekommen. Uns würde interessieren, ob es sich um eine Krankheit handelt, ob diese gefährlich sein könnte und wie sie behandelt werden kann.“
Professor Bannach lächelte, während er die Eheleute Krump nacheinander ansah.
„Nun, um eine Krankheit handelt es sich nicht unbedingt. Aber das haben wir ja bereits besprochen. Es handelt sich vielmehr um eine Schlafstörung, beziehungsweise um eine Störung des Aufwachmechanismus, was dazu führt, dass Sie, Herr Dr. Krump, während Ihrer Tiefschlafphase in eine Art Dämmerzustand geraten, unbewusst aufstehen und dann Dinge tun, die man als Schlafender normalerweise nicht tut.“

„Aber wie kann es denn angehen, dass ich während dieses Zustandes im Haus und auf dem gesamten Grundstück umherlaufe, das Auf- und Absteigen von Treppen bewältige, in der Küche anfange, die Schränke und Oberflächen zu putzen, was ich übrigens im wachen Zustand noch nie getan habe, und schließlich wieder im Bett lande, ohne mich danach an etwas zu erinnern?"
Der Professor lächelte noch immer. Wissend und freundlich angetan zugleich.
„Das ist ganz normal bei Schlafwandlern", antwortete er sachlich und mit beruhigendem Tonfall. „Es gibt sogar Berichte über Betroffene, die während dieser Phase auf Baugerüste geklettert und in schwindelerregenden Höhen über schmale Bretter balanciert sind. Eine Sache, die sich diese Menschen ansonsten nie zutrauen würden. Das hat etwas mit dem veränderten Bewusstseinszustand sowie dem häufigen Wegfall von Ängsten und Hemmungen zu tun."
Helene faltete die Hände in ihrem Schoß und fragte leise: „Schön, Herr Bannach. So weit, so gut. Ist denn dieses Schlafwandeln gefährlich? Ich meine, muss ich meinen Mann jetzt jede Nacht einsperren?"
Professor Bannach lachte und fuhr sich mit einer Hand durch das komplett ergraute Haar.
„Natürlich müssen Sie Ihren Mann nicht einsperren, Frau Krump. Sie haben auf den Videoaufnahmen, die Sie von Ihrem Mann gemacht haben, deutlich gesehen, dass er sich während dieser Phase mit nahezu schlafwandlerischer Sicherheit durch das Haus bewegt. Es scheint fast so, als wäre er bei vollem Bewusstsein, wenn man von seinen leicht hölzernen und verkrampften Bewegungen einmal absieht. Ein Abschließen des Zimmers würde Ihren Mann unter Umständen eher dazu verleiten, dass er

sich unbewusst entschließt, den Raum durch das Fenster zu verlassen. Und das könnte natürlich dann gefährlich werden."
„Und was kann man nun dagegen tun?", raunzte Georg, der sichtlich unangenehm berührt war. „Ich reise häufig allein durch ganz Europa, halte Vorträge in vielen verschiedenen Städten und habe wahrlich keine Lust darauf, irgendwo im Ausland nachts schlafend durch fremde Hotels zu geistern."
Der attraktive Professor legte die Stirn in Falten.
„Woher wissen Sie denn, dass Sie das nicht schon hundertfach getan haben?" Georg Krump rümpfte die Nase und warf dem Gegenüber einen verächtlichen Blick zu.
„Das ist keine Antwort auf meine Frage, sehr geehrter Herr Professor!" Das letzte Wort klang wie eine Anklage, wie eine Kriegserklärung. „Ich wollte wissen, was wir tun können."
Bannach beugte sich ein wenig vor und faltete jetzt ebenfalls die Hände auf der dicken Schreibtischplatte.
„Sie und ich können absolut gar nichts tun, Herr Krump. Es gibt keine erfolgversprechenden Therapien gegen Somnambulie und auch keine Medikamente, die ich Ihnen guten Gewissens verschreiben würde. Es sei denn, Sie würden sich auf Nebenwirkungen einlassen, die Sie um Ihren Verstand brächten. Sie haben einfach nur die Möglichkeit, mit dieser, gar nicht so seltenen, Störung zu leben."
Jetzt war es wieder Helene, die sich zu Wort meldete.
„Sie sagten eingangs, dass Georg, also mein Mann, unter einer besonders ausgeprägten Form dieser … Störung leidet."
„Richtig!", erwiderte der Professor professionell. „Obwohl das Wort *leiden* die Sache ja nicht wirklich trifft.

Schließlich leidet Ihr Gatte nicht während dieser Vorkommnisse."
„Aber danach!", meinte Georg verdrießlich. „Es ist in meiner Position und bei meinem Ruf als einer der führenden Zahnmediziner und Dentalforscher Europas nicht gerade angenehm, sich morgens sagen lassen zu müssen, dass man nachts um drei Uhr schlafend mit dem Aufsitzrasenmäher im Garten einen so großen Radau gemacht hat, dass die gesamte Nachbarschaft um den Schlaf gebracht wurde und schon die Polizei rufen wollte."
Bannach nickte einsichtig.
„Das verstehe ich. Und es tut mir natürlich auch leid. Aber nun zu Ihrer Anmerkung, Frau Krump. Die besonders ausgeprägte Form bei Ihrem Mann besteht vor allem darin, dass sich bei ihm die Anzahl der Schlafwandelereignisse innerhalb der letzten Monate nicht nur ungewöhnlich stark vermehrt, sondern sich die einzelnen Episoden auch verlängert haben. Wie Sie berichteten, kommt es ja inzwischen bereits mehrmals in der Woche dazu. Und oftmals wandelt Ihr Mann dabei mehr als eine Stunde umher."
„Richtig!", stimmte Helene ihm zu. „Ich habe inzwischen so einen leichten Schlaf, dass ich sofort aufwache, wenn Georg sich im Bett auch nur umdreht. Und die Handykamera ist in der Regel schon aktiviert, wenn mein Gatte noch nicht einmal das Bett verlassen hat."
„Ich finde es gut, dass Sie Ihren Mann jetzt jedes Mal filmen, wenn er schlafwandelt. Das hilft uns bei der Diagnose, der Behandlung und der Fallbeurteilung. Leider kam es während der vier Nächte bei uns im Schlaflabor ja niemals zu diesen Vorkommnissen."
Professor Bannachs Miene verdüsterte sich von einer auf die andere Sekunde.

„Nicht so gut finde ich, dass Sie, Herr Dr. Krump, während Ihrer letzten Wandelphasen stets mit Messern oder sonstigen scharfen oder gefährlichen Dingen hantiert und gearbeitet haben, die Sie irgendwo im Haus oder in Ihrer Garage gefunden haben."

***

Daniel schritt wie ein Hypnotisierter, wie ein Untoter auf seinen Vater zu. Langsam, schwankend, zaghaft, wie ferngesteuert.
„Was hast du getan, Papa? Was hast du getan?"
Georg legte den Arm seiner Helene zurück auf die Matratze und vergrub das Gesicht in den blutigen Händen.
„Ich weiß es nicht, Daniel. Ich weiß es doch nicht", schluchzte, nuschelte er kaum verständlich.
Daniel trat im Pyjama und wie in Trance an das große Ehebett heran, umrundete es und erreichte schließlich seinen Vater. Er legte ihm beide Hände auf die Schultern. Drückte fest zu. Knetete, massierte sie unbewusst.
„Papa, was hast du getan?", wiederholte er sich dabei immerzu.
Daniel ging nun ebenfalls in die Knie. Direkt hinter seinem Vater. Und noch immer hatte er seine Hände auf den bebenden Schultern seines Erzeugers liegen.
„Daniel", flüsterte Georg, wobei ihm Speichel aus dem Mund tropfte. „Ich weiß es wirklich nicht. Als ich aufwachte, lag sie so da. Und auf dem Teppich das Messer."
Er drehte sich zu seinem Sohn um. „Du musst mir glauben!", schrie er beinahe völlig außer sich. „Ich weiß nicht, was passiert ist!"

Daniel nahm seinen Vater in die Arme. Drückte ihn. Hielt ihn. Stützte ihn. Umfasste ihn, wie sonst nur ein Vater seinen Sohn umfasst.
„Ich weiß, Papa. Ich weiß. Es ist alles in Ordnung. Wir regeln das. Es wird alles gut. Glaub mir."
Dann stand er langsam auf, griff nach dem blutigen Küchenmesser mit der abgebrochenen Spitze und wog es in der Hand.

***

„Wir müssen die Polizei rufen." Georg saß noch immer zitternd auf dem Teppich und sah seinen Sohn an. Er hatte Blut an den Händen, den Unterarmen, im Gesicht. „Sofort!" Daniel hatte sich in einem Sessel in einer Ecke des Schlafzimmers niedergelassen und schaute seinen Vater zweifelnd an. Er hielt noch immer das Messer in seinen Händen, so als wenn er nicht glauben könnte, dass dieses kleine, unbedeutende Etwas gerade das Leben seiner Mutter beendet und ausgelöscht hatte.
„Und was sollen wir ihnen sagen?", flüsterte er irgendwann. Georg starrte ungläubig auf seinen 36-jährigen Sohn, der seit einigen Monaten wieder bei ihm und seiner Helene lebte.
„Na, die Wahrheit natürlich", antwortete der promovierte Zahnmediziner voller Überzeugung. „Dass ich deine Mutter erstochen habe." Daniel stand langsam auf und schritt nun beinahe andächtig durch das dämmrige Schlafzimmer, das Küchenmesser mit der abgebrochenen Spitze noch immer in seinen Händen haltend. Schließlich meinte er:
„Und du weißt, was dann passiert?"
Georgs Augen weiteten sich unnatürlich.

„Es ist mir doch egal, was dann passiert. Mensch, Daniel! Ich habe keine Ahnung, was dann passiert. Aber ich habe auch keine Angst davor!“ Er erhob sich stöhnend und ächzend in die Höhe. „Ich habe, wahrscheinlich während einer dieser Schlafwandelphasen, meine Ehefrau erstochen“, stammelte er schließlich mit fast versagender Stimme. „Was sonst sollten wir tun, als die Polizei zu informieren?“ Er kam einige Schritte auf Daniel zu. „Sollen wir deine Mutter etwa verschwinden lassen? Hä? Sie irgendwo vergraben? In Stücke sägen und im ganzen Landkreis verteilen? Oder in einem See versenken? Mit einem Sack voller Steine oder Zement an den Füßen?“
Daniel hob die Arme, in der einen Hand das Messer, und stellte sich seinem Vater in den Weg.
„Natürlich nicht, Papa. Natürlich nicht. Aber ich denke, dass wir die Sache ein wenig ruhiger angehen lassen sollten. Ein wenig überlegter.“
Georg schlug einen der Arme seines Sohnes mit Gewalt zur Seite und schrie wie von Sinnen:
„Sag mal, spinnst du jetzt komplett? Bist du mein Anwalt, oder was? Ich hab einen Mord begangen. Deine Mama ist tot, und du palaverst hier blöd rum? Verzieh dich und lass mich tun, was ein richtiger Mann in dieser Situation zu tun hat.“

Daniel senkte betreten die Arme und trat einen Schritt zurück. Sein Gesichtsausdruck verriet, dass die Worte seines Vaters ihn gerade schmerzhaft und empfindlich getroffen hatten. Vielleicht sogar schmerzhafter und empfindlicher als der Tod seiner eigenen Mutter.
„Man wird dich einsperren, Vater“, brachte er schließlich krampfhaft hervor. „Überleg dir genau, was du tust. Willst du wegen dieser Frau dein restliches Leben im

Knast verbringen? Und bitte tu jetzt nicht so, als wenn euer gemeinsames Leben immer nur toll und harmonisch gewesen wäre. Wie oft hat sie dich einfach nur behandelt wie ein Stück Dreck?"
Georg wandte sich angewidert und angeekelt von seinem Sohn ab. Er stolperte in seinen schneeweißen Schlafsocken auf die andere Seite des Bettes, ließ sich schwerfällig auf seine eigene Hälfte fallen und griff nach dem Telefon, das in einer Ladestation auf seinem Nachttischchen stand. Dann tippte er, ohne seinen Sohn noch ein einziges Mal anzusehen, die 110.

***

„Herr Doktor Krump?"
Der Richter sah den Angeklagten beinahe mitfühlend an. „Bleiben Sie bei Ihrer Aussage?"
Georg Krump, der während der Untersuchungshaft mindestens zehn Kilogramm abgenommen hatte und nun in einem viel zu weiten Anzug hinter seinem Tisch hockte, nickte abgeklärt und antwortete:
„Herr Vorsitzender, hohes Gericht. Ich habe leider keinerlei Erinnerungen mehr an die Tat. Ich weiß nicht, wie sich dieses tragische Unglück zugetragen hat oder warum es geschehen ist. Doch nach dem, was ich in den Monaten vor diesem Ereignis von meiner Frau Helene und meinem Arzt und Therapeuten, Herrn Professor Bannach, gehört habe, gibt es für mich kaum einen Zweifel daran, dass ich in der Nacht vom 12. auf den 13. April des vergangenen Jahres meine Ehefrau mit einem Messer aus der Küche unseres Hauses getötet habe, indem ich dieses mehrfach in ihre Brust und ihren Oberkörper gestoßen habe. Ich nehme an, dass dieses während eines Zeitpunk-

tes geschah, zu dem ich wieder einmal schlafgewandelt bin. Es gibt über diese Erkrankung, diese Störung, zahlreiche Aufzeichnungen, Gutachten und Berichte von Herrn Professor Bannach. Zudem gibt es Videoaufnahmen von meiner Frau, die belegen, dass ich in den Wochen und Monaten vor der Tat immer wieder schlafwandelnd durchs Haus geirrt bin. Vielfach habe ich während dieser Nächte Messer, Rasierklingen, Äxte und Beile benutzt, um unbewusst Tätigkeiten der unterschiedlichsten Art in den unterschiedlichsten Räumen oder Zimmern oder im Garten auszuführen. Diese Videos und ärztlichen Aufzeichnungen, die dem Gericht vorliegen, werden bestätigen, dass ich seit knapp zwei Jahren unter dieser besonderen Schlaf- beziehungsweise Aufwachstörung, der sogenannten Somnambulie leide. Aber das soll keine Entschuldigung sein für das, was ich getan habe. Keine faule Ausrede. Fakt ist: Ich, Georg Krump, habe mit an Sicherheit grenzender Wahrscheinlichkeit meine Frau Helene Krump mit einem Fleischmesser aus unserer gemeinsamen Küche getötet. Unbewusst, ungewollt, ohne Absicht, ohne hinterhältigen Plan, ohne niedere Beweggründe, ohne Hintergedanken, ohne Ziel. Aber: Ich muss sie getötet haben! Denn wer sollte es sonst gewesen sein? Schließlich war ich allein mit meiner Gattin im Schlafzimmer, und mein Sohn Daniel befand sich, ein Stockwerk über uns, in seinem Dachgeschosszimmer. Und er kam erst hinzu, nachdem ich laut geschrien und gerufen habe."

***

Kommissar Hermanns spielte scheinbar unbewusst mit den Fingern an seiner Unterlippe, während er die beiden

Männer fixierte, die, noch immer aufgelöst, gemeinsam ihm gegenüber auf einer Couch im großen Wohnzimmer saßen. Mit seinen Augen, mit seinen Blicken, mit seiner ganzen professionell geschulten Aufmerksamkeit.
„Okay, Herr Krump. Sie sagen also, dass Sie sich an nichts erinnern?“ Georg wischte sich über die verquollenen Augen und antwortete:
„Richtig! Ich erinnere mich an nichts.“ Hermanns nickte, während er etwas in sein kleines Notizbüchlein schrieb.
„Dann beschreiben Sie doch einmal das, woran Sie sich erinnern.“
Georg richtete sich ein wenig auf, während Daniel beharrlich und scheinbar eingeschüchtert schwieg.
„Nun, ich erinnere mich daran, dass ich durch irgendetwas geweckt worden bin“, begann Georg zögerlich. „Ich öffnete die Augen und bemerkte, dass das Nachttischlämpchen meiner Frau brannte.“ Georg hustete und fuhr fort:
„Zunächst dachte ich mir nichts dabei. Warum auch? Hätte ja sein können, dass sie einfach nur mal kurz ins Bad gegangen ist.“
Hermanns Stift kratzte über das Papier in seinem Büchlein.
„Und dann?“
„Dann hab ich gesehen, dass im Bad kein Licht brannte. Die Tür war zwar geschlossen, doch wenn hinter ihr das Licht eingeschaltet gewesen wäre, hätte man es unter der Tür schimmern sehen.“ Georg langte nach einem Taschentuch vom Couchtisch und tupfte sich die Augen. Dabei bemerkte er, dass seine Hände und Arme noch immer blutverschmiert waren. „Schließlich drehte ich den Kopf zur Seite und … sah meine Frau.“
Hermanns richtete das Wort an Daniel.

„Und Sie? Wo waren Sie zu dieser Zeit?“
Der Angesprochene zuckte mit den Schultern.
„Na, wo soll ich schon gewesen sein? Um vier Uhr in der Nacht? Im Bett natürlich. In meinem Zimmer im Dachgeschoss.“
„Sie leben noch bei Ihren Eltern? Entschuldigen Sie, wie alt waren Sie noch gleich?“
Daniels Miene verfinsterte sich, während er antwortete:
„Ich werde in zwei Monaten 37. Und nein, ich wohne nicht mehr bei meinen Eltern. Ich bin nur vorübergehend wieder hier eingezogen.“
„Warum?“
„Hat das irgendetwas mit diesem Fall zu tun?“
Hermanns runzelte die Stirn.
„Herr Krump, alles, was sich hier in der letzten Zeit zugetragen und ereignet hat, ist für mich wichtig.“
Georg legte beschwichtigend eine Hand auf den Unterarm seines Sohnes.
„Daniel macht gerade eine schwierige Zeit durch, Herr Kommissar. Er hat eine schmerzhafte Trennung hinter sich und wollte hier bei uns etwas Abstand gewinnen. Normalerweise lebt und arbeitet er in Stuttgart.“
„Ich verstehe“, erwiderte Hermanns. Und wieder an Daniel gewandt: „Und was arbeiten Sie in Stuttgart?“
Daniels Haltung versteifte sich ein wenig.
„Ich bin freiberuflicher Journalist und … Schriftsteller.“
Hermanns´ Augen weiteten sich ein wenig.
„Tatsächlich? Sie sind Schriftsteller? Was schreiben Sie denn so? Kennt man was von Ihnen?“
Georg kam seinem Sohn mit der Antwort zuvor.
„Daniel ist noch am Anfang seiner Karriere, Herr Kommissar.“

„Gut“, meinte Hermanns. „Wie dem auch sei.“ Und wieder an Daniel gerichtet: „Ist Ihnen in der Nacht etwas Ungewöhnliches aufgefallen?“
„Nein!“, antwortete Daniel. „Außer natürlich, dass mein Vater irgendwann wie wild angefangen hat zu schreien. Da bin ich natürlich sofort runter zu ihm.“
„Und vorher haben Sie nichts gehört? Keine Kampfgeräusche, keine Schmerzensschreie Ihrer Mutter?“
Daniel schüttelte den Kopf.
„Nein!“ Hermanns notierte sich erneut etwas.
„Trägt Ihr Vater noch dieselben Kleidungsstücke wie in dem Augenblick, als Sie ihn am Bett Ihrer Mutter gesehen haben?“ Daniel musterte seinen Vater einige Sekunden lang und antwortete:
„Ja. Natürlich. Er hat sich wohl kaum umgezogen.“
Hermanns schrieb etwas in sein Büchlein.

„Wie war das Verhältnis zu Ihrer Mutter?“
„Wie soll das Verhältnis schon gewesen sein?“, erwiderte Daniel. „Halt ganz normal. Wie das so zwischen Müttern und Söhnen zuweilen ist.“
Georg Krump räusperte sich und fuhr sich mit der verschmierten Hand übers Gesicht.
„Herr Kommissar, wenn ich dazu etwas sagen dürfte? Es gab dort einige Spannungen zwischen meiner Gattin und meinem Sohn.“ Er sah zu Daniel, welcher in diesem Moment erstarrte. „Sie müssen wissen, dass mein Sohn homosexuell ist. Meine Frau kann, entschuldigen Sie, konnte damit nie wirklich gut umgehen. Sie wissen, was ich meine?“ Während Daniel errötete und den Blick senkte, seufzte Hermanns.
„Okay“, meinte er schließlich. „Kam es deswegen zu Streitigkeiten?“

Daniel hob den Kopf.
„Ja!“, raunzte er forsch. „Immer und immer wieder. Sie wollte meinen Lebenswandel einfach nicht akzeptieren. Hat sich für mich geschämt. Sie wollte sogar, dass ich eine Therapie mache, um mein Schwulsein zu bekämpfen. Meine Mutter hasste Homosexuelle, müssen Sie wissen. Sie fand sie widerwärtig und abnormal. Sie betonte bei jeder Gelegenheit, dass Adolf Hitler richtig gehandelt hatte, als er solche verabscheuungswürdigen und kranken Kreaturen und Bestien in den KZs während des Zweiten Weltkrieges vergasen und vernichten ließ.“

***

„Verehrter Vorsitzender, ich bedanke mich für die Möglichkeit, hier an dieser Stelle noch mein Schlussplädoyer für meinen Mandanten, Doktor Georg Krump, halten zu dürfen. Wir alle haben seine Aussagen gehört. Ich akzeptiere seine Worte, und ich zolle meinem Mandanten den höchsten Respekt für seine Offenheit, seine Ehrlichkeit und seine Entscheidung. Ich kann aus anwaltlicher Sicht seinen Ausführungen jedoch nicht zustimmen. Und die Einstellung zu meinem Beruf und mein inneres Gefühl in Bezug auf Gerechtigkeit, Ethik und Moral verbieten es mir regelrecht, hier in diesem Moment kein Plädoyer zu Gunsten meines Mandanten zu halten.“
Der Strafverteidiger blickte ruhig und souverän zunächst zu dem nervös wirkenden Krump, dann zu den anderen Akteuren der Verhandlung. Anschließend griff er nach einem Ordner, der vor ihm auf dem Tisch lag, öffnete ihn und fuhr sachlich und selbstsicher fort:

„Mein Mandant und seine Gattin führten über mehr als vier Jahrzehnte eine vorbildliche und komplett normale Ehe. Dieses wurde uns vom Sohn des Angeklagten und von mehreren anderen Zeugen unabhängig voneinander bestätigt. Sie respektierten sich, unterstützten sich in allen Lebenssituationen und hielten auch in schweren Zeiten zusammen. Zum Beispiel, als bei Herrn Doktor Krump Somnambulie diagnostiziert wurde, was beide Partner sehr verunsicherte. Die Verbindung zwischen Georg und Helene Krump war so intensiv, dass Frau Krump ihren Gatten sogar zu allen Arzt- und Therapieterminen begleitete, wie Herr Professor Bannach dem Gericht glaubhaft machen konnte. Somit fällt schon einmal das vielleicht grundlegendste Element einer Strafverfolgung weg: Das Motiv! Herr Krump ist ein vermögender Mann, der sich auf der ganzen Welt einen Namen als Mediziner gemacht hat. Er liebte seine Frau. Er war finanziell unabhängig. Womit die Motive Gier, Geld und auch Hass auf den Ehepartner definitiv hinfällig werden.

Wie verschiedene Experten dem Gericht während des Prozessverlaufes versicherten, wäre die Tat unter dem Aspekt des Schlafwandelns zwar durchaus möglich gewesen, es sprechen jedoch einige Indizien und Beweise dagegen, dass Herr Doktor Krump diese Tat ausgeübt und begangen hat.
Zum Beispiel befanden sich keinerlei Fingerabdrücke des Angeklagten auf der Tatwaffe. Untersuchungen haben eindeutig ergeben, dass sich ausschließlich die Abdrücke von Daniel Krump, dem Sohn des Angeklagten, an dem Messer befanden. Und natürlich die der verstorbenen Ehefrau.

Lassen Sie uns zu weiteren Tatsachen kommen. Hierbei beziehe ich mich erneut auf Professor Bannach, der nicht nur das Ehepaar Krump in gemeinsamen Sitzungen beraten und betreut hat, sondern auch Frau Krump alleine. Wie er dem Gericht mitteilte, sorgte sich Helene Krump sehr wegen des Schlafwandelns ihres Mannes. Unter anderem deshalb, weil Herr Krump während einiger seiner nächtlichen Ausflüge vermehrt mit spitzen oder gefährlichen Werkzeugen hantiert und gearbeitet hatte. Das machte ihr natürlich Angst.
Im Laufe der Zeit ergaben sich für sie daraus verschiedene Verhaltens- und Vorgehensweisen. So berichtete sie dem Therapeuten, dass sie mit den Monaten einen sehr leichten Schlaf bekommen habe. Diese Tatsache führte dazu, dass sie bereits bei den geringsten Anzeichen des Schlafwandelns sofort erwachte, ja, fast schon bei den geringsten auffälligen Bewegungen ihres Mannes im Ehebett, um ihren Gatten mit der Handykamera aufzunehmen. Dieses geschah selbstredend mit dem Einverständnis von Herrn Krump. In der Tatnacht lag das Handy von Frau Krump unberührt auf ihrem Nachttischschränkchen neben der eingeschalteten Lampe. Analysen haben ergeben, dass es etwa drei Stunden vor der Tat zuletzt benutzt worden ist. Es sind zudem keinerlei Dateien gelöscht oder vernichtet worden.
Die Tatsache, dass Frau Krump in ihrem Bett lag, als sie verstarb, würde bedeuten, dass sie, die Täterschaft ihres Mannes mal angenommen, weder gehört hat, dass ihr Mann aufgestanden und durchs Haus gegangen ist, um ein Messer zu holen, noch dass er das Schlafzimmer erneut betreten hat. Und das ist bei ihrem leichten Schlaf kaum vorstellbar, zumal nachgewiesen wurde, dass sich in ihrem Blut weder Rückstände von Alkohol, Drogen

oder Medikamenten befanden und ihr Sohn gegenüber der Polizei ausgesagt hat, dass seine Mutter vor ihrem Tod komplett gesund gewesen sei."

***

Daniel spürte ein leichtes Unbehagen in seiner Magengegend, während er beobachtete, wie der Anwalt seines Vaters sein Plädoyer hielt. Was läuft denn hier ab, dachte er verunsichert. Ich hatte angenommen, die Sache wäre sonnenklar. Was mache ich, wenn dieser Typ meinen Vater freibekommt? Wie stehe ich denn dann da? Wenn ich Pech habe, lande ich irgendwann noch hier vor Gericht.

***

Der Anwalt legte den Ordner ab, verschränkte die Arme vor der Brust und setzte seinen Vortrag routiniert fort: „Wir kommen nun zu zwei weiteren Punkten, die als Indizien, vielleicht sogar als Beweise dafür gewertet werden können, dass mein Mandant die Tat nicht begangen hat, ja, nicht einmal hätte begehen können."
Im Gerichtssaal entstand leichte Unruhe. Überall wurde geflüstert, verstohlen geblickt.

„Und wieder einmal hat es etwas mit den Dingen zu tun, die Frau Krump, laut Aussagen des geschätzten Professors Bannach und nach Verifizierung durch Herrn Krump, nach der Diagnose und der Erkenntnis, dass ihr Gatte zuweilen schlafwandelt, eingeführt beziehungsweise verändert hat. Es war nämlich so, dass Herr Doktor Krump während der ersten Male beim Schlafwandeln stets barfuß unterwegs war. Heißt: Er griff niemals nach Pantoffeln oder Schuhen. Zudem hat er niemals seine Kleidung gewechselt oder sich umgezogen. Was wiederum bedeutet: Herr Doktor Krump steigt zu Beginn seines Wandelns aus dem Bett und schreitet unbewusst im Schlafanzug und barfuß umher. Teilweise sogar außerhalb seines Hauses und zuweilen selbst im tiefsten Winter. Vor einem Jahr etwa vereinbarten Professor Bannach, Herr Krump und seine Gattin deshalb, dass Doktor Krump jeden Abend vor dem Zubettgehen frische weiße Socken anzog. Verstehen Sie, zuhause hatte Frau Krump eine gewisse Kontrolle über ihren Mann. Doch der Doktor war wegen seiner Vorträge viel auf Reisen, in vielen unterschiedlichen Ländern und Hotels unterwegs. Und dort natürlich ohne seine Frau. Wenn er also morgens bemerkte, dass seine weißen Strümpfe verschmutzt waren, konnte er sicher sein, dass er nachts wieder schlafgewandelt war."

Der Anwalt verließ seinen Platz und schritt langsam zum Beweismitteltisch, auf dem neben dem Küchenmesser, dem blutverschmierten Pyjama, der Nachttischlampe und dem Handy von Frau Krump auch noch andere Gegenstände, in Plastikbeutel verpackt, lagen. Er griff nach einer eher unscheinbar wirkenden Kunststofftüte.

„In diesem Beutel befinden sich die Strümpfe, die Herr Doktor Krump in jener Nacht getragen hat. Das ist uns von der Spurensicherung, den Beamten vor Ort und den Analytikern im Labor versichert worden. Und alle Untersuchungen belegen eine einzige Tatsache: Herr Krump ist mit diesen Socken nachweislich nicht durch das ganze Haus gelaufen, um das uns vorliegende Küchen- und Tatmesser zu holen. An diesen Socken befinden sich ausschließlich Faserspuren vom Teppich im Schlafzimmer. Ansonsten keine Staubspuren, keine Verschmutzungen, keine Anzeichen dafür, dass er das Schlafgemach verlassen hat.“

***

Kommissar Hermanns sah Georg Krump direkt in die Augen.
„Herr Krump. Wie stehen Sie zu der Homosexualität Ihres Sohnes?“
Der Dentalmediziner blickte ein wenig unsicher auf seine gefalteten Hände.
„Gut, natürlich war es zu Anfang ein Schock für mich. Wer wünscht sich als Familienvater nicht irgendwann Enkelkinder auf seinem Schoß oder im Haus. Doch schließlich habe ich es akzeptiert. Denn am Ende geht es ja nur darum, dass die Kinder glücklich sind, oder nicht?“
„Natürlich“, antwortete Hermanns und machte sich erneut Notizen. Schließlich erhob er nochmals die Stimme:
„Herr Doktor Krump. Sie sagten aus, dass Sie um das Bett herumgelaufen seien und vor der Seite Ihrer Ehefrau ein Messer auf dem Teppich haben liegen sehen. Bleiben Sie bei dieser Aussage?“
Georgs Augen weiteten sich ungläubig.
„Natürlich bleibe ich bei meiner Aussage! Warum sollte ich Sie belogen haben?“
„Herr Krump“, erwiderte der Kommissar. „Ich spreche nicht davon, dass Sie mich belogen haben. Ich meine nur, dass Sie sich in einer außerordentlichen Stresssituation befunden haben – und noch immer befinden. Könnte es nicht auch sein, dass das Messer noch im Körper Ihrer

Frau gesteckt hat und Sie es angefasst haben, um es aus ihr herauszuziehen?"
Krump richtete sich ein wenig auf, als er antwortete:
„Herr Kommissar! Ich bin weder geistesgestört noch senil. Als ich um das Bett herumgegangen bin, lag das Messer auf dem Teppich."
„Und, haben Sie das Messer erkannt?"
Krump kratzte sich am Kinn.
„Nicht direkt. Ich habe mich natürlich zuerst um meine Frau gekümmert. Ich musste doch nachsehen, ob sie noch lebt." Hermanns schrieb etwas in sein Büchlein.
„Aber irgendwann haben Sie das Messer erkannt?"
„Ja!", reagierte Georg energisch. „Irgendwann habe ich es erkannt."
„Herr Krump, was ist das für ein Messer, mit dem Ihre Frau getötet wurde? Und warum haben Sie es erkannt?"
Krump sank wieder ein wenig mehr in sich zusammen, während er flüsterte:
„Es handelt sich eindeutig um ein Messer aus unserer Küche, Herr Kommissar. Ein Fleischmesser mit einer breiten und äußerst langen Klinge. Es steckte immer in einem Messerblock auf unserer Anrichte."
„Und Sie haben es eindeutig identifizieren können, Herr Doktor?"
„Selbstverständlich", entgegnete Georg kleinlaut. „Ich hatte es noch vor einigen Wochen eigenhändig geschliffen. Und dabei ist es mir aus der Hand geglitten und auf den Steinfußboden gefallen, wobei die Spitze des Messers abbrach. Es handelt sich bei der Tatwaffe definitiv um das Messer aus unserer Küche."
Der Kommissar runzelte die Stirn.

„Herr Krump. Sie bestätigen also, dass es sich bei der Tatwaffe um ein Messer handelt, das sich in Ihrem Haushalt befand?“ Krump nickte.
„Ja, Herr Hermanns. Das Messer, mit dem meine Frau getötet wurde, stammt eindeutig aus unserem Haushalt. Und es war für jede Person, die sich in diesem Haus bewegte, frei zugänglich. Denn es befand sich stets im Messerblock auf der Küchenanrichte. Und zwar Tag und Nacht.“

***

„Lassen Sie mich nun, geschätzter Vorsitzender, verehrte Anwesende, zu meinem vorletzten Punkt kommen: Natürlich könnte man jetzt sagen: Okay, dann war das Haus der Krumps halt sauber. Der Boden so, dass man überall davon hätte essen können. Aber ich will Sie eines Besseren belehren. Die Putzfrau der Krumps war genau fünf Tage zuvor zuletzt im Haus gewesen. Daniel Krump, der anwesende Sohn meines Mandanten, bestätigte mir, dass ausschließlich die Reinigungsfachkraft für das Saugen und Wischen der Böden im Ober- sowie im Untergeschoss verantwortlich war. Tests meiner Mitarbeiter haben ergeben, dass an den Strümpfen von Doktor Krump nachweislich Spuren von Staub und Schmutz hätten sein müssen, wenn er tatsächlich nachts durch das gesamte Haus gestreift wäre. Vor allem dann, wenn er dorthin gelaufen wäre, wohin er hätte laufen müssen, um das Tatmesser zu holen.“

***

Professor Bannach wirkte überrascht.

„Sie tun das jeden Abend?"
Helene Krump räusperte sich verlegen.
„Ist das verwerflich?"
„Nein", beeilte sich der attraktive Professor zu sagen. „Ich finde das ganz ausgezeichnet und umsichtig von Ihnen." Helene Krump sah sich im leeren Büro des Professors um.
„Und Sie erzählen meinem Mann nichts?"
Bannach sah die Dame eindringlich an.
„Frau Krump. Sie handeln vorbildlich. Ich zolle Ihnen meinen höchsten Respekt. Ich würde es genauso tun."
„Und Sie verraten es ihm wirklich nicht?"
Bannach lehnte sich zurück.
„Wie könnte ich? Ihre Maßnahmen sorgen doch nur dafür, dass Sie sich ein wenig weniger Sorgen um Ihren Mann zu machen brauchen. Ich verspreche Ihnen, dass er von mir nichts erfährt." Helene Krump lächelte, und sie fühlte sich tatsächlich ein wenig sicherer.

***

Der Strafverteidiger setzte sich wieder und öffnete den Ordner erneut.
„Herr Vorsitzender, verehrte Anwesende. Professor Bannach, der leider heute hier nicht anwesend sein kann, verriet mir direkt im ersten Gespräch, das meine Mitarbeiter und ich zwei Tage nach dem Vorfall mit ihm geführt haben, folgende Information."

Der Anwalt streckte sich, und jeder im Gerichtssaal spürte, dass der gelackte, selbstsichere Jurist nun endlich die Bombe platzen lassen würde, auf die er so lange hingearbeitet hatte.

„Frau Krump, die verstorbene Gattin des Angeklagten, erzählte Professor Bannach während einer Einzelsitzung, dass sie bereits Monate vor dem schrecklichen Ereignis damit begonnen hatte, sämtliche scharfen und spitzen Gegenstände aus dem Haushalt, der Garage, dem Geräteschuppen, ja, aus dem ganzen Haus zu entfernen. Das konnte uns auch von dem Sohn des Angeklagten bestätigt werden. Frau Krump tat dieses, weil sie sich um das Wohlergehen ihres Mannes während seiner Phasen des Schlafwandelns sorgte. Die einzigen gefährlichen Gegenstände, die sie im Haus behielt, waren die sechs Küchenmesser, die in einem hölzernen Messerblock auf der Anrichte neben der Spüle standen. Und wie Sie alle wissen, stammte die Tatwaffe, das Fleischmesser mit der abgebrochenen Spitze, genau aus diesem Messerblock."

Krumps Anwalt strich sich über sein perfekt rasiertes Gesicht.
„Und genau dieser Messerblock wurde von Frau Krump jeden Abend, ohne das Wissen ihres Mannes, vor dem Schlafengehen im Keller des Hauses versteckt. Damit Doktor Krump die Messer während des Wandelns eben nicht benutzen und sich und andere Personen verletzen konnte. Diese allabendliche Vorsichtsmaßnahme wurde uns sowohl vom Sohn des Angeklagten als auch von der Reinigungsfachkraft der Krumps und von Professor Bannach glaubhaft bestätigt. Diese drei Personen versicherten uns, dass Frau Krump niemals zu Bett ging, ohne den Messerblock in diesem besagten Raum zu verstecken."

Der Anwalt erhob sich, strich sein Jackett glatt und lächelte siegessicher.

„Herr Vorsitzender, verehrte Anwesende. Bei dem Kellerraum, in dem Frau Krump den Messerblock jeden Abend versteckte, handelt es sich um einen Raum, in dem Kartoffeln, Brennholz und Kaminbriketts gelagert werden. Und ich kann Ihnen Folgendes versichern: Der Boden dieses Kellerraumes ist so staubig und schmutzig, dass Sie Ihrer aller Namen mit dem Zeigefinger auf dem Betonuntergrund verewigen könnten. Wenn mein Mandant also während seiner Schlaf-Wachphase diesen Kellerraum betreten hätte, um das Tatmesser an sich zu nehmen, hätten die Analytiker und die Beamten von der Spurensicherung Rückstände an den weißen, um nicht zu sagen schneeweißen Socken meines Mandanten gefunden. Haben sie aber nicht."
Mit diesen Worten setzte sich der Anwalt wieder und schloss den vor ihm liegenden Aktenordner mit einer finalen, ausdrucksstarken Geste.

„Lassen Sie mich bitte meine Erkenntnisse noch einmal kurz zusammenfassen: Ich konnte Ihnen nachweisen, dass Frau Krump das Schlafwandeln ihres Mannes in der Tatnacht nicht aufgezeichnet und gefilmt hat. Und das, obwohl sie nach all den Monaten und Jahren hypersensibel auf jede Bewegung, jede Regung ihres Mannes während des Schlafens reagiert hat. Ich habe Ihnen erklärt und dargelegt, dass mein Mandant kein Motiv für seine Tat hatte. Ich konnte Ihnen beweisen, dass sich an der Tatwaffe ausschließlich die Fingerabdrücke der verstorbenen Ehefrau und die des Sohnes, Daniel Krump, befunden haben. Und das, obwohl nirgendwo im Schlafzimmer Tücher oder Handschuhe gefunden wurden.
Die Verteidigung konnte vor diesem Gericht ebenfalls auf die Tatsachen und Fakten zurückgreifen, dass weder

die nackten Fußsohlen noch die Strümpfe des Angeklagten, die er stets vor dem Zubettgehen anzog, Spuren von Verschmutzungen aufwiesen, welche aber vorhanden gewesen wären, wenn er tatsächlich durch das gesamte Haus bis in den ungesäuberten Vorratskeller gegangen wäre, um sich das Tatwerkzeug zu beschaffen. Hausschuhe, Pantoffeln oder anderes Schuhwerk wurden ebenfalls nicht im Schlafzimmer gefunden."

Der Strafverteidiger ließ sich, wie nach einer endlos langen Schlacht, ausatmend in seinem gepolsterten Stuhl zurücksinken. Zufrieden, aber auch irgendwie erschöpft.
„Herr Vorsitzender, verehrte Anwesende. Ich weiß, dass es sich bei den von mir aufgeführten und vorgebrachten Fakten und Argumenten vornehmlich um Indizien handelt, obwohl sie zumeist wissenschaftlich und kriminaltechnisch belegt wurden. Wir alle diskutieren aktuell die Sachlage, dass Herr Krump seine Frau während des Zustandes der Somnambulie getötet hat. Also während er unbewusst schlafwandelnd durch sein eigenes Haus lief und Dinge vollzog, an die er sich anschließend nicht mehr erinnern konnte. Und das wäre, wie Sie alle aus vorherigen, nachlesbaren Urteilen aus bundesdeutschen Gerichtssälen wissen, ein Punkt und Tatbestand, der definitiv und ohne Zweifel auf Unzurechnungsfähigkeit oder zumindest auf eine deutlich verminderte Schuldfähigkeit schließen lassen würde. Aber lassen Sie mich nun einen letzten, einen allerletzten Punkt vorbringen. Es ist bewiesen und bekannt, dass das Messer, mit dem Frau Krump erstochen wurde, aus dem Messerblock in der Küche stammte. Der Block mit den restlichen Messern wurde im Vorrats- und Lagerraum des Kellers entdeckt. Damit wird verdeutlicht, dass die Verstorbene auch vor

ihrem Tod die Messer im Keller versteckt hat. Und zwar, wie immer, ohne das Wissen ihres Gatten.
Herr Vorsitzender, geachtete Anwesende. Es ist komplett unwichtig, ob meinem Mandanten die Tat, die Tötung seiner Frau, nun in Bezug auf sein Schlafwandeln vorgeworfen wird. Oder ob tatsächlich jemand der irrealen Auffassung ist, dass er es wissend und geplant vollzogen hat. Eine letzte, eine einzige Tatsache ist unbestritten: Mein Mandant, Herr Doktor Georg Krump, wusste zu keinem Zeitpunkt während der letzten Monate, weder bewusst noch unbewusst, wo sich der Messerblock, inklusive des benutzen Tatwerkzeuges, nach dem Zubettgehen seiner Frau befand. Er hätte es also weder im Vollbesitz seiner geistigen Kräfte, also bewusst, noch im unbewussten Zustand des Schlafwandelns jemals finden und benutzen können. Dieses und alle anderen vorgebrachten Argumente und Ausführungen meiner Person lassen deshalb nur einen einzigen Schluss zu: Mein Mandant, Doktor Georg Krump, ein europaweit renommierter und geachteter Dentalmediziner und Referent, Besitzer eines außerordentlichen Privatvermögens und einer repräsentativen Stadtvilla, Vater eines gebildeten und erfolgreichen Sohnes, Gatte einer besorgten und liebevollen Ehefrau, diagnostizierter Schlafwandler und Somnambulie-Betroffener, hatte nicht nur keinerlei Motiv für diese abscheuliche Tat, sondern er hatte, sowohl bewusst als auch unbewusst, nicht einmal die Möglichkeit, diese ihm vorgeworfenen Handlungen auszuführen. Ich plädiere deshalb in aller Form, in aller Öffentlichkeit, vor meinem Gewissen als vereidigter Strafverteidiger und vor diesem hohen Gericht auf einen Freispruch. Mein Mandant, Doktor Georg Krump, hat seine Frau nachweislich

nicht umgebracht. Er ist unschuldig und deshalb freizusprechen!“

***

Georg Krump öffnete die Haustür und ließ seinen Gast eintreten.
„Herzlich willkommen!“
Er ging voraus und betrat das Büro. Einen Raum mit schweren, dunklen Eichenmöbeln, dicken Teppichen, zwei altmodischen Sesseln, vollgestopften Bücherregalen und einem wuchtigen Schreibtisch voller Papiere und Unterlagen.
Der Gast lächelte, während er sich in einem der tiefen Ledersessel niederließ.
„Und, zufrieden?“

Georg Krump strich sich durch sein Haar. Dann trat er auf seinen Gast zu, der sich augenblicklich wieder aus dem Sessel erhob.
„Nein!“, antworte Krump leise. „Ich bin nicht zufrieden. Ich bin glücklich.“
Der Gast lächelte und fragte:
„Wie hast du es denn schlussendlich mit dem Messer und den Fingerabdrücken organisiert?“
Georg Krump grinste.
„Ich habe das Messer aus dem Keller geholt, als Helene sich im Bad bettfertig gemacht hat und ich noch meine normalen Schuhe trug. Ich habe diese unten im Erdgeschoss stehenlassen, im Schlafzimmer meine weißen Socken angezogen und das Messer direkt unter das Bett gelegt. Und ich habe natürlich Einmalhandschuhe benutzt, die ich anschließend mit einer Schere in winzige

Stücke geschnitten und in der Toilette heruntergespült habe."
„Und dann erst hast du geschrien?"
„Richtig!", antwortete Krump gefühlvoll. „Und von dem Augenblick an ist alles so gelaufen, wie wir es seit Monaten zusammen geplant hatten."

Krump ergriff die ausgestreckten Hände seines Gastes. Er fühlte die Wärme, die stets unterdrückten Leidenschaften, die Verbote, die blutigen Regeln ihrer verlorenen Generation.
„Ich liebe dich", flüsterte Krump kaum hörbar. „Für immer und ewig! Und jetzt wird uns nichts mehr trennen. Kein Gerede, keine Eifersucht, keine Politik und auch kein Gericht der Welt mehr."
Und während er den Gast in seine Arme schloss, so als würde die Welt in den nächsten Sekunden für immer verlöschen und untergehen, berührten sich ihre Lippen. Zunächst küssten Krump und Bannach sich schüchtern und unbeholfen, dann immer fordernder und leidenschaftlicher.

Momo

Er hatte die Augen geschlossen, während er unter dem alten Apfelbaum im Garten lag. Bei dem schönen, warmen Sommerwetter trug er nur Shorts und ein verblichenes T-Shirt. Die Füße waren nackt.

Vom See her kam eine Ahnung, die Andeutung, die Idee eines Windhauchs, kühl, duftend, erfrischend. Im Haus spielte Tunja Klavier. Die einzelnen Noten und unbeholfenen Töne kamen ihm wie Engels-, wie Himmelsmusik vor, die sich ihren Weg durch das Wohnzimmer, durch die leichten, sich sanft bewegenden Vorhänge, durch die geöffneten Fenster und durch den ländlich wirkenden Garten suchte.

Sie erreichte ihn nahezu zärtlich, leise und unaufdringlich und doch erfüllte sie seinen gesamten Körper, seine gesamte Seele, so, als wenn sie von einem kompletten opulenten Orchester intoniert und dargeboten würde. Jede vorsichtige Harmonie streichelte seine Psyche, sein Wesen. Jede Melodienfolge ließ ihn ruhiger, stolzer und glücklicher werden.

Noch glücklicher?
Ging das überhaupt?

Seine Frau bereitete in der Küche das Abendessen zu, und die 9-jährige Miriam spielte auf der Wiese, etwa zwanzig Meter von ihm entfernt, mit ihrem neuen Kätzchen. Es war hellbraun mit weißen, samtweichen Pfoten. Das tapsige Fellknäuel hatte keinen Namen, dafür lebte es noch nicht lange genug bei ihnen, und Miriam wollte sich in dieser Sache ganz sicher sein. Deshalb probierte sie seit Stunden nun schon testweise alle möglichen Namen aus, die ihr einfielen. Sie sprach sie leise vor sich hin, rief sie etwas lauter, mal lobend, mal versuchsweise kritisch tadelnd, und zwischendurch fragte sie sogar ihren Vater, was er zum Beispiel von „Braune", „Otto-Kathrin" oder „Stupsnäschen" hielt.

Natürlich fand er alle Namen irgendwie passend.
Gut, bei „Gertrude, du Fellfaultier" legte er für kurze Zeit zweifelnd seine Stirn in Falten, doch auch nur deshalb, weil die unmittelbare und äußerst resolute 79-jährige Nachbarin von ihnen, zu der das Verhältnis seit Tunjas Klavierstunden und Miriams Vorliebe für Fußball und schwere, nasse Lederbälle ein wenig getrübt war, denselben Vornamen trug, und er sich abends schon „Gertrude, du Fellfaultier" im dämmrigen Garten rufen hörte, wenn er die kleine Katze dazu bewegen wollte, endlich ins Haus zu kommen.

Er öffnete die Augen und blinzelte zum See hinüber, auf dem ein einsames Segelboot zu sehen war.
Da und dort schwammen traute Entenfamilien umher, und zuweilen erzeugte ein auftauchender Fisch sich rasch vergrößernde Kreise und Wellenringe.

Die Schatten der am Ufer stehenden Bäume, Büsche und Weiden zauberten einzigartige, verspielte Silhouetten auf das Wasser, und über ihm bildeten weiße Kumuluswölkchen geheimnisvolle, langsam dahinziehende, sich stets verändernde Formationen und Bilder.

Sie hatten das alte, komplett renovierungsbedürftige Haus, welches direkt am Bodensee lag, vor gut einem Jahr durch Zufall während eines Kurzurlaubs entdeckt.
Es selbst war zwar nur klein, es stand aber auf einem fast zwei Hektar großen Naturgrundstück mit eigenem Bootssteg und direktem Blick auf den See.
Die Tatsache, dass das Haus kostenintensiv saniert werden musste und es sich bei dem Grund lediglich um ein Erbpachtgrundstück handelte, ließ den Verkaufspreis für die Familie erschwinglich werden.

Und da er und seine Frau handwerklich äußerst begabt waren und sie sich immer schon so ein Projekt gewünscht hatten, verwunderte es niemanden ihrer Freunde und übrigen Familienmitglieder, Verwandten oder Arbeitskollegen, dass sie den Kaufvertrag binnen zwei Wochen unterschrieben hatten.
Er hatte sehr schnell eine gute Anstellung in einer Tischlerei im Nachbarort gefunden, und seine Frau ging in ihrer Rolle als Hausfrau, Mutter und Innenarchitektin für das neue Heim völlig auf.

Natürlich war das Haus längst noch nicht fertig.
Doch er, seine Frau, seine beiden Töchter hatten keine Eile. Sie hatten keinen Druck.
Es galt, nichts zu beweisen.
Es galt, nichts zu demonstrieren oder darzustellen.
Denn sie hatten ja sich.
Sie hatten unendlich viel Zeit.

Und glücklich waren sie bereits jetzt schon.

Immer wenn es ihr Zeit- oder Bankkonto erlaubte, wurde ein neuer Raum, ein neues Gewerk, ein neuer Traum in Angriff genommen.
Ein Fenster, ein Bodenbelag, ein Möbelstück, ein Anstrich oder eine neue Tapete.
Die Kinder wuchsen, das Haus veränderte sich, und das Leben war das, was es sein sollte.
Leben!

„Papa, kannst du mal für einen Moment auf Momo aufpassen? Ich muss Pipi."
Er drehte den Kopf und sah, wie Miriam mit dem Kätzchen auf dem Arm direkt neben seinem Liegestuhl stand.
„Momo?"
Das Mädchen zuckte mit den Schultern.
„Ich habe entschieden, dass sie so heißt, bis ich wieder draußen bin. Bis ich wieder bei ihr bin."
Er lächelte.
„Dann soll es so sein."

Er nahm das kleine, unschuldige Lebewesen entgegen, legte es sich auf den Bauch und beobachtete nicht ohne ein Gefühl der Wärme in seinem Herzen, wie sich das wenige Wochen alte Kätzchen direkt einrollte und schnurrend zu schlafen begann.

„Aber pass gut auf sie auf", meinte Miriam streng. „Schließlich ist Momo noch ein Baby."
„Mach dir da mal keine Sorgen, mein Schatz", erwiderte er. „Bei mir ist sie so sicher wie in Fort Knox."

Das Mädchen rümpfte zweifelnd die Nase, während es inzwischen unruhig von einem Bein aufs andere tippelte.

„Wie in was?“
Er lachte.
„Ist schon gut. Lauf ins Haus und geh aufs Klo.“
Und mit einem Augenzwinkern:
„Bevor hier gleich noch ein Unglück passiert.“
„Papa!“, antwortete Miriam streng und ein wenig vorwurfsvoll. „Mir passiert sicher kein Unglück, ich bin doch schon groß.“
„Natürlich bist du das. Aber jetzt beeil dich trotzdem. Und pass auf die Baumwurzeln auf. Nicht, dass du noch stolperst und dir wehtust.“
Das Mädchen rannte los, und kurz bevor es die Terrasse erreichte, hörte er sie noch „Mama, Mama, mach das Badezimmer frei, ich muss ganz doll!“, rufen.

Er schloss erneut die Augen. Tunjas Klaviertöne streichelten sein Gemüt, umschmeichelten, liebkosten das Haus, den Garten, die wispernden, im Wind flüsternden Bäume, den stillen See.

Und während er in Vorfreude auf die gebackenen Forellen im Ofen und einen ruhigen Abend mit seiner Frau auf dem Bootssteg bei Wein, einzigartiger Aussicht und Kerzenlicht einzudösen begann, fühlte er das pulsierende, weiche, warme, vertrauensvolle Leben auf seinem Bauch. Und es schnurrte.

***

Er erwachte.
Und noch immer hörte er Tunjas Klavier, roch den friedvollen See, spürte den Apfelbaum über sich, roch den

köstlichen Duft von in Knoblauch, Thymian und Öl eingelegten, selbst gefangenen Forellen.

Wie dankbar er doch war.
Womit hatte er so viel Glück verdient?
Er war doch nur ein kleiner Tischler.
Ein ganz normaler Kerl.

„Er ist aufgewacht“, sprach eine erregte Frauenstimme irgendwo im Universum. „Er kommt endlich zu sich.“

Er öffnete die Augen und sah den wunderschönen Himmel über sich. Die Äste und Blätter des Baumes, die erntereifen, pausbäckigen roten Äpfel.
Und er strahlte innerlich.

Gott, hatte er einen Hunger.
Ob er seine Frau bitten sollte, ihm zu den gebackenen Forellen noch ein paar Apfelstückchen in der Pfanne zu karamellisieren?

Er lächelte, und die starken Medikamente und Spritzen sorgten dafür, dass sein zu 50 Prozent verbranntes Gesicht, seine zu 65 Prozent verbrannte, komplett bandagierte Haut keine schmerzhaften Signale und Impulse an sein schläfriges, dämmriges Gehirn sendeten.

Er sah zu dem Kätzchen auf seinem Bauch.
Das braune, niedliche Fellwesen mit den weißen Pfötchen schlummerte noch immer friedlich, beschützt und ruhig schnurrend vor sich hin.

Und dabei war es so sicher wie in Fort Knox.

Und dann wieder die Frauenstimme:
„Er sieht so glücklich aus. Glauben Sie, dass er die Katze auf seinem Körper spürt?“

„Wer weiß das schon?“, antwortete eine sonore Männerstimme. „Ich weiß nur, dass diese seltsame Nachbarin, wie hieß sie noch gleich?“
Fünf Sekunden Stille.
Dann erneut die Frauenstimme:
„Gertrude Weißnacht.“

„Richtig, Gertrude“, meinte der Mann beinahe tonlos. „Zumindest sagte diese alte Dame aus, dass Herr Fälber nach der Gasexplosion, die ihm nicht nur sein komplettes Haus, sondern auch seine gesamte Familie genommen hat, wie von Sinnen ins Feuer gelaufen ist. Sie hat es wohl vom Gartenzaun aus beobachtet, während sie ihre Rosen wässerte.“

Der Profi räusperte sich und fuhr unbeirrt fort:

„Und nachdem sie die Polizei und die Feuerwehr angerufen hatte, hat sie ihn völlig verbrannt, zitternd, vor Schmerzen schreiend und der Ohnmacht nahe auf dem Rasen vor der Terrasse gefunden. Und in seinen Armen muss er wohl diese Katze gehalten haben.“

„Und Sie finden es in Ordnung, dass er nun dieses verlauste Tier bei sich auf dem Krankenhauszimmer hat?“, wollte die Frau wissen. „Schließlich haben wir hier unsere Regeln und Bestimmungen.“

„Ach, wissen Sie", reagierte der professionell wirkende Mann, während er die einzelnen Blätter seines Klemmbrettes ordnete. „Nach zwei Monaten befindet sich Herr Fälber nun endlich nicht mehr auf der Intensivstation. Als er eingeliefert wurde, gaben wir ihm eine Überlebenschance von weniger als zehn Prozent. Natürlich war ich skeptisch, als diese Gertrude uns mit dem Vorschlag kam, die Katze, um die sie sich seit dem Unglück kümmert, für eine Stunde am Tag auf den Bauch des Patienten zu legen. Aber auch für mich als Schulmediziner gibt es immer wieder Situationen, in denen ich mein Herz sprechen lasse und nicht meinen Verstand. Dafür gibt es einfach noch zu viele Dinge zwischen Himmel und Erde, die ich nicht verstehe."

***

Er lag auf seinem Liegestuhl, während die Krankenschwestern und Ärzte in den anderen Zimmern, Stationen und Etagen arbeiteten, begleiteten, hinüberführten, pflegten, trösteten, kämpften und ihre Jobs zugleich liebten und verfluchten.

Und da war der Wind, die Sonne, der See, der Baum über ihm, die Wiese, das alte Haus, das Aroma der gebackenen Forellen und der karamellisierten Apfelstückchen, das Klavier.

Und das Leben, die Wärme, das Vertrauen ruhte wohlig schnurrend auf seinem Bauch.
Er öffnete die Augen, sah das zarte Kätzchen und lächelte.

„Hallo, du Kleine“, kam es schließlich liebevoll zwischen seinen Mullbinden, seinen verbrannten Lippen hervor, während ihn das langsam erwachende Tier hingebungsvoll anstarrte und sich an seine verbundenen, versengten Hände schmiegte.

„Mach dir keine Sorgen. Ich pass auf dich auf. Solange, bis Miriam vom Klo zurück ist. Bei mir bist du sicher wie in Fort Knox.“

Tränen fanden ihren Weg in gerötete, schmerzerfüllte und zugleich hoffnungsvolle Augen. Und Gewissheiten, Ahnungen, Illusionen, Erinnerungen und unterdrückte Wahrheiten traten im Ring, im Kampf gegeneinander an.

Auf dass es keine Sieger und keine Verlierer geben möge.

„Meine kleine Momo.“

Die Insel

Er blickte sich um. Vorsichtig, zweifelnd, unsicher. Hatte er ein Geräusch gehört?
Ein Geräusch, das nicht an diesen verdammten, gottverlassenen, vom Teufel beseelten Ort gehörte?

An diesen Ort des Alleinseins, der Scham, des Verlustes? Hier, auf dem Dach des trostlosen Hochhauses? Leerstehend, grau, geplant von Haien, niemals vollendet.

Mitten in Berlin, 2021.
Er wusste nicht, wie lange er schon hier lebte, hauste, aß, kotzte, soff, vegetierte, träumte. Auf dem Dach der Stadt, direkt unter dem dunklen Himmel, der schwarzen, vergifteten Sonne. In einem verschimmelten Zelt, das er bereits vor der Isolation besessen hatte.

Damals hatte er es zum Campen benutzt. Gemeinsam mit seinen Töchtern. Heute verbrachte er seine erbärmlichen Tage und Nächte, seine Wochen, Monate und Jahre darin.

Dieses Hochhausdach betrachtete er mittlerweile als seine Insel. Als sein Lager. Das stinkende Teerdach bot ihm Schutz vor den Menschen, vor der Welt. Und das, obwohl es in seinem Leben doch gar keine Menschen, keine Welt mehr gab.
Ursprünglich war er einst auf dieses Dach geflüchtet. Mittlerweile wusste er, dass er hier lediglich als Verlierer des Daseins gestrandet war.

Er griff nach dem Fernglas. Sein Vater hatte es ihm vor Jahrzehnten geschenkt.
Auf dem Festland.
Er sah hinab auf die blutigen Venen, Adern, Arterien, Lebens- und Totenströme der Stadt. Und er sah Krawatten, Neid, Pelze, Gewalt, Einkaufstüten von Prada, Missbrauch und Depressionen. Nur seine Töchter sah er nicht. Wie sollte er auch?

War das dort am Horizont etwa ein Schiff?

Er öffnete die Dose mit dem abgelaufenen Hundefutter. Riss sie auf und schnitt sich an dem scharfen Weißblech-Aluminium-Gemisch. Sein Blut tropfte direkt in die Konserve hinein.

Er nahm einen Löffel, schabte die menschlich kontaminierte Oberfläche des industriellen Abfallfraßes ab und steckte ihn sich in den Mund.

Es war tatsächlich ein Schiff. Und es hielt auf ihn zu.

Er betrachtete seinen kleinen Mischlings-Rüden, der zusammengerollt auf einer stockfleckigen Decke lag.

Er hatte ihn "Glückstag" getauft.
Denn der Tag, an dem dieses kleine, unschuldige Wesen in sein Leben getreten war, war definitiv ein Glückstag für ihn gewesen.

Der Mann hob den Kopf und sah, dass der Segler mit den drei Masten immer näher kam.

Glückstag schnupperte zaghaft an der Konservendose, schaute den betrunkenen Mann dankbar an und machte sich wenige Sekunden später hungrig über den Inhalt her. Nichtsahnend, dass er nur die Abfälle einer Spezies fraß, die sich selbst bereits längst verloren und aufgegeben hatte.
Und es schmeckte ihm.
Denn er hatte keine Wahl.

Nach dem Festmahl nahm er Glückstag in den Arm. Er drückte sein Gesicht in das Fell des vertrauten Tieres.
Und er roch und fühlte das, was er unten auf den Straßen, draußen in der Welt schon lange nicht mehr wahrgenommen hatte - und niemals mehr wahrnehmen würde. Und plötzlich wusste er, dass das Schiff mit den weißen Segeln ihn und seinen treuen Freund von der Insel befreien würde.

Der Hund schmiegte sich an ihn, vergrub den Kopf in seiner Armbeuge. Der Mann betrachtete noch einmal sein Zelt, sein Lager. Und dann trat er an den Rand der Insel. In den Sand. Dorthin, wo die Wellen den Strand liebkosten.
Er schritt glücklich durch das warme Wasser, direkt auf den wunderschönen Dreimastsegler zu, der ihn retten würde.

Ihn und seinen Glückstag.

Die Vergeltung

Er ging langsam und mit nach unten gerichtetem Blick durch den dunklen und alles verschlingenden Regen. Sein leicht gebeugter Körper steckte in einem abgewetzten Wollmantel, der sich während der letzten Stunden so voller Wasser gesogen hatte, dass der alte Mann ihn kaum noch tragen konnte. Doch er ging weiter. Ein schwarzer Lederhut hing ihm dabei so tief ins Gesicht, dass man von diesem kaum mehr etwas erkennen konnte. Er wusste nicht genau, wie lange er schon unterwegs war. Er wusste nur, dass er sein Ziel noch nicht erreicht hatte.

Die Straßen und Bürgersteige in diesem verdrecktesten aller Stadtteile waren noch kälter und niederdrückender als der Regen, der inzwischen bis zu seiner fahlen und blassen Haut vorgedrungen war. Haut, die so aussah, als hätte sie seit Jahren kein Sonnenlicht mehr gesehen. Haut, die sich anfühlte, als überspannte sie schon seit Jahrzehnten einen toten Körper.
Die Straßenlaternen wirkten unmotiviert, während sie scheinbar widerwillig und unter Protest ein wenig liebloses Licht auf den nassen Asphalt und die vermüllten Gehwege warfen.

An einer Ecke wurde er von einer jungen Prostituierten angesprochen. Sie trug ein für die Jahreszeit zu dünnes Stoffjäckchen über ihrem aufreizenden roten Lederimitat-Kostüm, welches einen Blick auf ihre üppigen Brüste gewährte. In der rechten Hand hielt sie einen Regenschirm, der sie kaum vor den Wassermassen schützte. Der Ausdruck ihrer Gesichtszüge verriet Lustlosigkeit

und Dunkelheit, und hätte sie sich nicht bewegt, hätte sie auch eine ausgeschaltete Straßenlaterne sein können.
„Hey, Süßer! Soll ich für dich ein wenig die Sonne scheinen lassen? Mit zwanzig Euro bist du dabei.“
Der Mann hob kaum merklich den Kopf, um ihn nach einem kurzen Blick auf die Verlorene direkt wieder sinken zu lassen.
„Kein Bedarf.“
„Hey!“, erwiderte das Straßenmädchen mit einer Mischung aus Verzweiflung und Wut und berührte ihn dabei mit der freien Hand am Mantel. „Kannst es auch gerne für fünfzehn haben. Ich hab heute meinen sozialen Tag.“
„Vergiss es“, murmelte der Mann in diesem Augenblick fast flüsternd und mit Eiseskälte in den Regen hinein. „Und fass mich nie wieder an!“
Sie sah erzürnt drein, doch als sie für einen Atemzug lang sein Gesicht und die seltsamen Tätowierungen in diesem studieren konnte, riss sie die Augen so weit auf, als stünde der Leibhaftige direkt vor ihr. Und während der Schock noch immer nicht jede Zelle ihres Körpers erreicht hatte, hatte der langsam davonschreitende Mann sie bereits wieder vergessen.

***

Bernd gab seiner Tochter einen Kuss auf die Stirn, legte das Märchenbuch auf das Nachttischchen und schaltete die Lampe aus. Nun fiel nur noch etwas Mondlicht durch die halb heruntergelassenen Rollläden, während der Regen weiterhin unablässig leise gegen selbige klopfte.
„Schlaf schön, Mia“, flüsterte er liebevoll.

Die Angesprochene öffnete für einen Moment die Augen, lächelte bemüht und murmelte schläfrig:
„Mach ich, Papa. Und du hab eine schöne Geburtstagsparty." Bernd grinste.
„Ach, du. Eine richtige Party ist das ja nicht gerade. Es kommen nur ein paar Nachbarn vorbei."
Mia wirkte nachdenklich.
„Aber du wirst doch morgen 40. Und du hast den ganzen Nachmittag Musiklieder ausgesucht."
„Aber wir werden trotzdem nur gemütlich im Wohnzimmer sitzen, quatschen und die eine oder andere Kleinigkeit knabbern."
„Und wenn es Mitternacht ist, bist du ein ganzes Jahr älter?"
„Kann man so sagen."
„Und tanzt ihr dann auch?", wollte Mia nun wieder etwas wacher wissen.
„Ich hoffe nicht!", lachte Bernd und hob die Arme. „Ansonsten verdrücke ich mich sofort auf die Terrasse."
„Oh Mann!", maulte das Mädchen. „Du bist ja ein Spielverderber." Ihr Vater nickte bedächtig.
„Also, in Bezug auf das Tanzen muss ich dir da recht geben. Aber jetzt wird geschlafen." Er erhob sich, streichelte seiner Tochter noch einmal über die Wange und ging zur Tür.
„Papa?", meinte Mia noch, während sie sich in ihre Decke einkuschelte. „Mich nervt der Regen. Hört der bald auf?"
„Ganz bestimmt. Irgendwann muss der Himmel ja leer sein." Das Kind richtete sich noch einmal auf.
„Mir ist das aber zu dunkel zum Schlafen." Bernd runzelte die Stirn.

„Hm, soll ich für dich noch ein wenig die Sonne scheinen lassen?“ Mia strahlte.
„Ja, bitte!“
„In Ordnung“, erwiderte er mit einem gespielt strengen Unterton. „Aber nur ein paar Minuten.“
Bernd ging noch einmal durch das Kinderzimmer und betätigte einen Schalter, der direkt neben Mias Kleiderschrank an der Wand angebracht war. Augenblicklich erstrahlte eine alte gelbe Laterne auf dem Schrank, die die Form einer Sonne hatte.
„Danke Papa. Jetzt ist es besser.“
„Wenn du es sagst“, meinte er, warf seiner Tochter noch eine Kusshand zu und verließ das Zimmer.

***

Zwanzig Minuten später betrat er triefnass ein kleines Geschäft für Jagdbedarf und Sportwaffen. Es war kurz vor Ladenschluss, und er war alleine mit dem Inhaber, der sichtlich nervös auf seiner Unterlippe kaute, als er den Ankömmling bemerkte. Der Mann mit dem Hut und dem durchgeweichten Mantel wirkte wie ein riesiger Dämon, als er auf die Ladentheke zuging.
„Ich hatte etwas bestellt.“ Die Stimme klang dunkel und ruhig. Der Verkäufer sah den Mann irritiert an. Schließlich nickte er eine Spur zu heftig, und seine Züge entspannten sich.
„Richtig, richtig!“, beeilte er sich zu sagen. „Ich hole es sofort aus dem Lager.“ Er drehte sich um und verschwand hinter einem dicken Vorhang, um bereits eine halbe Minute später wieder hinter seiner Theke zu erscheinen. Er legte einen in ein Tuch gewickelten Gegen-

stand vor seinem Kunden auf den Tisch und lächelte verschmitzt. „Da ist das Prachtstück."
Der alte Mann nahm den Gegenstand an sich und befreite ihn von dem Tuch. Anschließend zog er ihn aus der ledernen Scheide, betrachtete ihn ausgiebig, wog ihn in der Hand und roch sogar daran. Der Ladeninhaber lächelte nun noch breiter.
„Ein wunderbares Messer. Wahrscheinlich das Beste seiner Art."
„Wenn Sie es sagen", entgegnete der Mann wortkarg und hielt es sachkundig gegen das Licht.
„Ich habe es extra importieren müssen, was die Sache natürlich ein bisschen teurer macht. Dafür erhalten Sie aber auch eine vielfach gewalzte und gefaltete Klinge aus reinstem Damaststahl mit über 200 Lagen. Ich sag mal: Da können Sie getrost mit ´nem Panzer drüberfahren, und man sieht nachher nicht den geringsten Kratzer."
„Wenn Sie es sagen", wiederholte sich der Mann. Der Verkäufer nickte erneut.
„Und das Messer ist so scharf, dass Sie sich ab heute täglich damit rasieren können, ohne es in den nächsten zwei Jahren auch nur einmal nachschärfen zu müssen."
„Wieviel?" Der Verkäufer kratzte sich verlegen am Kinn, bemühte sich aber, weiterhin zu lächeln.
„700! Dafür lege ich Ihnen aber auch noch ein echtes Opinel-Taschenmesser mit Carbonstahl-Klinge dazu. Eine Quittung kann ich Ihnen aber natürlich nicht ausstellen."
Der Mann mit dem Hut hob seinen Kopf ein wenig und musterte den Anderen mit einem undurchdringbaren Blick. Irgendwann sagte er:
„Wir haben am Telefon vereinbart, dass es höchstens 500 kostet."

„Ja“, antwortete der Verkäufer unsicher und zog die Schultern ein wenig ein. „Da dachte ich ja auch noch, ich würde es hier in Deutschland bekommen. Doch nun musste ich es in den Staaten bestellen.“
„Nicht mein Problem“, hauchte der Mann in einem Ton, der keinen Widerspruch duldete, und warf dem Ladeninhaber einen Packen Geldscheine auf die Theke. „500! Dafür können Sie Ihren anderen Schrott auch behalten!“ Ruhig schob er das Messer in die Scheide zurück und ließ es anschließend in einer seiner Mantelinnentaschen verschwinden.
„Aber …“
„Ja?“ Der Mann sah dem Ladeninhaber direkt in die Augen. „Gibt es ein Problem?“
„Nein! Alles gut!“, stotterte der Verkäufer und blickte eingeschüchtert zu Boden. „Ich wollte nur noch sagen, dass ein Messer mit einer so langen feststehenden Klinge nach dem Waffengesetz natürlich nicht in der Öffentlichkeit bei sich getragen werden darf. Es sei denn, man nutzt es für einen speziellen Zweck, wie zum Beispiel bei der Waldarbeit oder auf der Jagd.“
Der Mann, der bereits die Ladentür erreicht hatte, drehte sich noch einmal um. Auf seinem tätowierten, aschfahlen Gesicht lag ein dunkler Schatten.
„Wenn Sie es sagen. Ich werde es mir merken.“
Danach öffnete er die Tür, trat hinaus und verschwand im Regen.

***

Er stand auf der Terrasse, sah in den Garten und zog nervös an seiner Zigarette. Isabell trat von hinten an ihn her-

an, umschlang seinen Körper und drückte ihr Gesicht gegen seinen Rücken.
„Aufgeregt?“ Bernd zuckte mit den Schultern und drehte sich zu seiner Frau um.
„Ein wenig“, antwortete er schließlich nachdenklich.
„Musst du nicht!“, entgegnete Isabell und hauchte ihm einen Kuss aufs Kinn. „Das sind alles nette Leute.“ Ihr Mann seufzte.
„Ach, weißt du, Schatz. Ich habe es nur satt, mich immer wieder neu auf so viele Fremde einzulassen. Ich wäre gerne mal irgendwo richtig daheim. Und das für mehr als nur vier oder fünf Jahre.“
Isabell schmiegte sich an ihn.
„Ich glaube, wir sind hier jetzt wirklich sicher. So ein Fehler wie vor drei Jahren passiert denen sicherlich nicht noch einmal.“ Bernd schnaubte vor Wut.
„Das war ja auch die größte Scheiße! Der Typ hätte uns alle umbringen können.“
„Vielleicht können wir ja jetzt für immer bleiben. Mia gefällt es im Kindergarten sehr gut, ich mag den Job in der Grundschule, und deine Chefs und Kollegen sind auch zufrieden mit dir.“
„Wenn du es sagst.“
„Bereust du deine Entscheidung?“
„Grundsätzlich würde ich es wieder tun“, erwiderte Bernd gedehnt. „Aber täglich mit den Konsequenzen, den psychischen Belastungen und der Angst leben zu müssen, ist auf Dauer schon anstrengend.“
„Liebling, bei dem Überfall damals sind zwei Menschen schwer verletzt und fast getötet worden. Es war richtig und konsequent, dass du die Polizei gerufen und deine Aussage vor Gericht gemacht hast.“

„Nur dumm, dass diese Konsequenz uns in die Situation gebracht hat, dass wir in einer Nacht- und Nebelaktion unser damaliges Leben verlassen mussten, um im Nirgendwo unter falschem Namen komplett neu zu beginnen. Und das nur, weil dieser Verrückte seinen Kumpel während des Prozesses nicht verraten und uns nach dem Urteil damit gedroht hat, dass dieser uns überall auf der Welt finde." Er wischte sich über die Augen und fuhr fort: „Und die Geschichte mit der brennenden Puppe vor drei Jahren war ja wohl der Beweis dafür, dass er seine Worte verdammt ernst gemeint hat."
Isabell atmete tief aus.
„Das mit der Strohpuppe vor unserer Haustür ist lange her. Und seitdem ist nichts mehr gewesen. Es ist noch nicht einmal klar, dass er es überhaupt war. Ich bin mir sicher, dass wir hier gut aufgehoben sind."
„Wenn du es sagst."
„Ja, ich sage es. Und nun ab ins Haus. Unsere Gäste kommen in ein paar Minuten."

***

Irgendwann betrat er eine schäbige Gaststätte in einem noch schäbigeren Hinterhof. Im Eingangsbereich blieb er kurz stehen und blickte sich aufmerksam um. Der kleine Schankraum war nur spärlich beleuchtet und noch spärlicher besucht, und es roch nach schalem Bier, Zigarettenrauch und irgendeinem Eintopf. Er setzte sich an einen Tisch im hinteren Bereich der Kneipe, von wo aus er einen guten Überblick über alle Tische und die fünf anderen Gäste hatte, die alle mehr oder weniger trübsinnig in ihre Biergläser oder auf ihre tiefen Teller starrten. Der Mann winkte den Barkeeper und Kneipenbesitzer zu sich und bestellte ebenfalls ein Bier und das Tagesgericht. Nachdem ihm dieser das Gewünschte gebracht hatte, setzte er seinen Hut ab, zog den Mantel aus und begann damit, schweigend seinen Bohneneintopf zu löffeln. Dabei bemerkte er, dass ihn die anderen Gäste verstohlen musterten. Er kannte dieses Gefühl, angestarrt zu werden. Seitdem er die auffälligen Tätowierungen am Hals, im Gesicht und auf der gesamten Kopfhaut hatte, lebte er damit, dass er ständig mit einer Mischung aus Angst und Irritation begutachtet und beobachtet wurde.

Irgendwann wurde die Tür der Gaststätte geöffnet, und ein dünner Mann mittleren Alters kam herein. Er trug einen Trainingsanzug und eine schwarze Lederjacke. Insgesamt wirkte er ungepflegt und verschlagen. Als er den Mann im hinteren Bereich vor seinem Eintopf sah, ging er, nachdem er dem Ladeninhaber, den er anscheinend zu kennen schien, lässig zugewinkt hatte, direkt auf ihn zu, um sich zu ihm an den Tisch zu setzen,
„Geile Tattoos“, flüsterte er greinend. „Schön, dich mal wiederzusehen. Alles okay, Partner?“
Der Alte blickte ihn kauend an. Schließlich entgegnete er gelangweilt:
„Es ist alles okay, wenn du das dabei hast, was du mir schuldest.“ Der Andere grinste schief, griff in seine Hosentasche und zog einen zerknitterten Zettel hervor. Anschließend legte er ihn auf den Tisch.
„Hey, Partner! Ich bin Profi.“ Der Alte runzelte die Stirn, griff nach dem Zettel, faltete ihn auseinander und las die drei handschriftlich verfassten kurzen Zeilen. Nach einer halben Minute knurrte er:
„Und die Adresse stimmt?“ Der Andere lachte gekünstelt auf und machte ein wichtiges Gesicht.

„Hey, Partner! Kannst dich auf mich verlassen. Meine Quelle ist sicher." Der alte Mann fuhr sich mit einer Hand über den rasierten Schädel, während der Barmann dem Neuankömmling ein Bier auf den Tisch stellte und wortlos wieder verschwand.
„Das hoffe ich für dich", zischte der Alte, nachdem der Kneipeninhaber außer Hörweite war. Er griff neben sich, zog das große Messer aus dem zusammengefalteten Mantel und legte es so auf die Tischplatte, dass nur sein Gesprächspartner es sehen konnte. „Denn sonst werde ich dich finden. Und an dem Tag, an dem das passiert, wirst du dir wünschen, du wärest niemals geboren worden."
Der Mann im Trainingsanzug riss die Augen auf.
„Scheiße! Das ist ja ein verdammtes Schwert. Du scheinst ja echt was Großes geplant zu haben."
„Worauf du dich verlassen kannst. Wo ist das Geld?" Der Andere grinste erneut, zeigte zwei gelbe Zahnreihen und griff in seine Lederjacke. Zwei Sekunden später schob er dem Tätowierten einen gut gefüllten Briefumschlag zu.
„28.000 Euro", flüsterte er dabei leise. „Genau 75 Prozent des Coups."
„Verdammt wenig", erwiderte der Alte. „Vor allem, wenn man bedenkt, dass ich dafür acht Jahre im Bau war und du dir hier draußen ein schönes Leben gemacht hast."
„Aber jetzt bist du ja wieder da", antwortete der Mann im Trainingsanzug vorsichtig optimistisch. „Und ganz untätig war ich in den Jahren ja auch nicht."
„Dass ich nicht lache", zischte der Alte zynisch. „Du hast vor drei Jahren lediglich in meinem Auftrag die Adresse dieses Mistkerls herausbekommen und anschließend eine billige Strohpuppe vor seinem Haus abgelegt und angezündet. Sonst hast du rein gar nichts getan."

„Hey, Partner!“, meinte der Andere ein wenig erbost. „Erstens habe ich all die Jahre dein Geld verwaltet. Und zudem habe ich mich nicht schnappen lassen. Das ist doch schon mal was.“ Er zupfte den Kragen seiner Lederjacke zurecht. „Ich freue mich jetzt zumindest tierisch auf unsere gemeinsame Zukunft.“ Der Alte verzog verächtlich die Mundwinkel, legte sich im Sitzen seinen Mantel über die Schultern, verstaute das Messer, den Zettel und den Umschlag in einer der Innentaschen, setzte sich den Hut auf und erhob sich wie unter Schmerzen.
„Vergiss es“, sagte er dann leise. „Unsere gemeinsame Zeit endet hier und heute.“ Danach ging er ohne ein weiteres Wort aus der Gaststätte, zurück in den Regen. Und weder er noch der Mann im Trainingsanzug bemerkten, wie der Kneipenbesitzer in diesem Augenblick nach seinem Handy griff.

***

Zwölf Minuten später betraten zwei uniformierte Polizisten die Gaststätte, schritten zur Theke, unterhielten sich kurz mit dem Kneipier und gesellten sich dann zu dem Mann im Trainingsanzug, der gerade vor seinem dritten Bier saß. Dieser riss erschrocken die Augen auf und wollte hastig aufstehen, doch einer der Beamten drückte ihn sanft aber bestimmt zurück auf den Stuhl.
„Herr Brandt“, sagte der andere Polizist anschließend nüchtern. „Wir müssen reden!“

***

Es waren viel mehr Leute gekommen als geplant, und die Stimmung war ausgelassen und fröhlich. Während einige

Gäste bereits gegen neun Uhr im Wohnzimmer zu tanzen begonnen hatten, standen überall im Esszimmer, im Flur und in der Küche kleine Grüppchen von Menschen beisammen, um zu reden, zu lachen oder zu trinken. Bernd kannte nur die Wenigsten von ihnen, doch es war ihm auch egal. Nach ein paar Gläsern Wein hatte er sich irgendwann an diese wilde Horde gewöhnt, und wenn er ehrlich war, genoss er die Lautstärke, die Musik und die ausgelassene positive Atmosphäre sogar. Er war gerade im Keller, um einige Getränke zu holen, als sein Handy in der Hosentasche vibrierte.
„Ja?“ Die Stimme am anderen Ende der Leitung klang kühl und sachlich.
„Herr … äh, Schuster?“ Bernd zögerte einen Moment. Er hatte sich noch immer nicht daran gewöhnt, alle paar Jahre mit einem neuen Nachnamen angesprochen zu werden.
„Ja!“ Der Mann an Bernds Ohr hustete trocken.
„Haben Sie einen Moment Zeit?“ Bernd richtete sich auf und atmete tief durch.
„Ich bin zwar gerade dabei, mit dreißig Leuten meinen Geburtstag zu feiern, aber schießen Sie los.“ Der unbekannte Anrufer schien einen Moment lang nachzudenken.
„Verzeihen Sie, Herr Schuster. Ich mach es auch kurz. Ich wollte Sie nur darüber informieren, dass Herr Kraft in fünf Tagen nach acht Jahren vorzeitig wegen guter Führung aus der Haft entlassen wird.“ Bernd erstarrte und hätte beinahe das Handy auf den Kellerboden fallen lassen.
„Wollen Sie mich verarschen?“, stammelte er irgendwann völlig außer sich.
„Beruhigen Sie sich bitte. Ich weiß auch nicht, warum Sie nicht schon vorher über diesen Tatbestand informiert

worden sind, aber es ist nun einmal so. Da muss wohl bei uns ein Fehler passiert sein."

„Allem Anschein nach!", rief Bernd erregt. „Das heißt, Werner Kraft ist in ein paar Tagen wieder in Freiheit … und dann vielleicht auf dem Weg zu mir?"

„Machen Sie sich da mal keine Sorgen, Herr Schuster. Ihr Aufenthaltsort ist nur sehr wenigen ausgewählten Menschen bekannt. Sie sind in Ihrem Haus so sicher wie in Abrahams Schoß."

„Das habe ich vor drei Jahren gesehen!", platzte es aus Bernd heraus. „Und irgendwann lag da plötzlich eine brennende Strohpuppe vor unserer Haustür!" Der andere Mann hustete erneut.

„Tut mir leid, aber von diesem Vorfall weiß ich nichts. Ich weiß nur, dass Sie im Moment absolut sicher sind. Zudem habe ich die Information erhalten, dass sich Herr Kraft am Ende seiner Haftzeit äußerst vorbildlich und angepasst gezeigt hat. Seine Betreuer und Therapeuten haben ihm hervorragende Gutachten und Sozialprognosen ausgestellt."

„Wenn Sie es sagen", erwiderte Bernd, der in diesem Augenblick spürte, wie sich die Angst wie ein zu schnell wucherndes Geschwür in seinem Magen breitmachte. „Dass ich erst jetzt informiert werde, ist dennoch ein Skandal." Der Andere ließ ein paar Sekunden verstreichen.

„Da gebe ich Ihnen recht. Und es tut mir leid. Ich wünsche Ihnen dennoch einen schönen Geburtstagsabend. Wir werden uns nächste Woche bei Ihnen melden."

„Wenn es dann mal nicht zu spät ist", antwortete Bernd aufgebracht und beendete das Gespräch.

***

„Warten Sie hier. Ich bin in spätestens einer halben Stunde wieder da.“ Der Taxifahrer sah den tätowierten alten Mann im Spiegel skeptisch an.
„Ihnen ist aber klar, dass ich die Uhr weiterlaufen lasse, ja? Das wird nicht billig.“
„Wenn Sie es sagen.“ Mit diesen Worten faltete der Alte die Landkarte zusammen, die er bis zu diesem Augenblick auf dem Rücksitz des Passats studiert hatte, setzte sich seinen Hut auf und öffnete die Wagentür. „Und noch was, mein Freund.“ Der Fahrer, ein junger Kerl, der aussah wie ein Student, drehte seinen Kopf und sah seinem Gast direkt ins Gesicht.
„Ja?“
„Wenn Sie gleich nicht mehr hier stehen sollten oder jemals irgendjemandem von dieser Fahrt oder von mir erzählen, haben Sie ein Problem. Haben wir uns verstanden?“ Der Jüngere schluckte und nickte eifrig.
„Verstanden! Ich werde hier sein, und ich habe Sie noch nie im Leben gesehen.“ Der Alte grinste, griff in seine Manteltasche, zog den Umschlag hervor, holte einen Hunderter heraus und reichte ihn dem jungen Mann.
„Hier! Und wenn alles geklappt hat, bekommen Sie nachher zusätzlich zum Fahrpreis noch einmal zwei Scheine, okay?“ Der Fahrer nickte erneut und strahlte dabei wie ein Honigkuchenpferd auf Crystal Meth.
„Ja, okay! Vielen Dank. Und Sie sind sich sicher, dass Sie wirklich bei dem Regen hier in dieser Einöde aussteigen wollen? Hier gibt es doch nur Wälder, Felder, Moore und Gestrüpp.“ Der Tätowierte blickte den Taxifahrer düster an.
„Bis in dreißig Minuten!“

***

Bernd war ängstlich, nervös und völlig durcheinander. Hatte er die letzten Stunden noch genießen können, so stand er nun komplett neben sich. Er war kaum noch in der Lage, sich mit seinen Gästen zu unterhalten. Die meiste Zeit über stand er alleine auf der Terrasse, um eine Zigarette nach der anderen zu rauchen und um in die Finsternis zu starren.
Werner Kraft würde schon bald wieder in Freiheit sein. Und dann würde er vielleicht irgendwo da draußen in der Dunkelheit, im Regen lauern und auf ihn warten. Was plante er? Was machte er jetzt gerade? Würde er seine Drohungen aus dem Gerichtssaal am Ende doch noch wahrmachen und sie heimsuchen? Vor seinem inneren Auge erschien immer wieder das Bild der mannsgroßen brennenden Strohpuppe vor der Tür des Hauses, das sie zuletzt mit der noch einjährigen Mia bewohnt hatten.

Niemand von den überforderten und unfähigen Kriminalbeamten hatte ihnen anschließend erklären können, wie es zu dieser Panne hatte kommen können. Wie es dazu hatte kommen können, dass Werner Kraft oder sein Komplize, der gemeinsam mit Kraft den Überfall auf die Spielbank geplant, zwei Menschen mit einem Messer schwer verletzt hatte und noch immer auf freiem Fuß war, an die geheime Adresse gekommen waren. Sie hatten ihm am Ende sogar weismachen wollen, dass es sich bei der brennenden Puppe um einen dummen Jungenstreich gehandelt hatte und nicht um das Werk eines verrückten Verbrechers und Inhaftierten.
Bernd schnippte seine Kippe gedankenverloren auf den Rasen des dunklen Gartens, der direkt an einen Kiefernwald angrenzte. Wenn wir doch wenigstens irgendwo in der Stadt wären, dachte er verbittert. Hier draußen könnte

einer wie Kraft uns eine Woche lang als Geiseln in unserem eigenen Haus gefangen halten, ohne dass auch nur eine Menschenseele etwas davon mitbekommen würde.
Er atmete irgendwann tief durch, strich sich unbewusst über sein Hemd und ging schließlich zurück zu seinen Gästen.

***

Er schlich durch das Unterholz und bewegte sich dabei wie ein Raubtier, das einer Witterung folgte. Einer Schweißfährte. Vergessen waren sein Alter, seine Gebrechen, die Schmerzen im Rücken, der nasse, unendlich schwere Mantel. Er hatte sich die Karte so genau eingeprägt, dass er nun keinen einzigen Blick mehr auf sie werfen musste. Er wusste genau, wo das Haus lag, die der Nachbarn, und selbst der Regen und die Dunkelheit konnten seine Orientierung nicht beeinflussen. Er atmete langsam und gleichmäßig. So, wie er es während der unzähligen Meditationen und Qi-Gong-Übungen im Knast gelernt hatte.
Er spürte das Messer in seiner Manteltasche – und den Umschlag mit dem Geld. Er würde ein neues Leben beginnen. Und endlich frei sein. Es musste nur noch diese eine Sache erledigt werden.

Und dann sah er endlich die Lichter des Hauses, dem er sich von der Gartenseite durch den Wald her näherte. Und er hörte die Stimmen, das Gelächter, die Musik. Er nahm den Hut ab und fuhr sich mit der rechten Hand über den verschwitzten Totenschädel. Und in dieser Sekunde bemerkte er ihn.

Er stand alleine auf der Terrasse und rauchte. Er katte sich kaum verändert und wirkte noch immer so unsicher und klein wie damals im Gerichtssaal. Unbewusst tastete der alte Mann nach dem Messer in seinem Mantel.
Er war am Ziel, und zum ersten Mal seit acht Jahren lächelte er wieder.

***

Isabell legte ihm eine Hand auf den Unterarm.
„Liebling, ist alles in Ordnung? Du wirkst so abwesend."
Bernd küsste sie auf die Stirn und lächelte.
„Alles okay, Schatz. Alles okay." Isabell schmiegte sich an ihren Mann und seufzte.
„Nur noch wenige Minuten, dann bist du ein alter Mann."
„Hallo?", entfuhr es Bernd. „Pass auf, was du sagst. Mit einer wie dir nehme ich es immer noch auf."
„Na, da bin ich aber mal gespannt", hauchte sie ihm leise ins Ohr. „Die Nacht ist noch lang." Und eine weitere Spur leiser und verführerischer: „Mal sehen, was du in zwei, drei Stunden noch so für Kräfte aufbringen kannst, wenn wir endlich alleine sind."

***

Die Stimme klang so kalt und hart wie ein plötzlicher und unerwarteter Schlag ins Gesicht.
„Herr Kraft! Polizei! Drehen Sie sich langsam um und heben Sie die Arme!"
Der alte Mann erstarrte und verharrte einen Moment lang in seiner geduckten, beobachtenden Haltung. Sein Herz schlug auf einmal so schnell wie eine Urwaldtrommel, und sein Rücken schmerzte unsagbar, während der nasse

Mantel ihn mit enormer Kraft zu Boden ziehen wollte. Er erhob sich wie in Zeitlupe und drehte sich um. Und jetzt sah er die etwa zwölf Männer. Alle trugen sie Kampfanzüge, Schutzwesten, Helme und schwere Stiefel. Und alle hielten Gewehre oder Pistolen in den Händen, die allesamt auf ihn gerichtet waren.
„Herr Kraft, seien Sie vernünftig", ertönte wieder diese kalte Stimme. Sie kam aus dem Mund eines etwa 45-jährigen Mannes, der keine zehn Meter von ihm entfernt stand und trotz seiner Bewaffnung und der Leute hinter sich angespannt und eine Spur zu nervös wirkte. „Wir wissen, was Sie vorhaben. Und wir wissen, dass Sie eine Waffe bei sich tragen." Der Mann mit dem halbautomatischen Gewehr blickte ihm direkt in die Augen. „Legen Sie sie langsam auf den Boden."
Der Alte schien einen Moment lang zu überlegen. Dann griff er schließlich mit einer Hand in seinen Mantel, ertastete das Messer und zog daran. In dem Moment, in dem es sich jedoch im fadenscheinigen Stoff des alten Kleidungsstücks verhedderte und sich nicht mehr leicht und einfach aus der Tasche ziehen ließ, ging erst ein kaum wahrnehmbares Zucken und Zittern durch seinen Arm und anschließend durch seinen gesamten Körper. Und das genau war auch der Moment, in dem ihn die Kugel seines nervösen Gegenübers mitten in die Brust traf.

***

„Hast du das gehört?" Isabells Augen waren angstvoll geweitet, während sie das Glas Sekt, mit dem sie gerade noch auf Bernds Geburtstag angestoßen hatte, fast fallen

ließ. „Klang das nicht wie ein Schuss?“ Bernd stieß seine Frau von sich und blickte zum Garten.
„Geh zu Mia und schließe dich mit ihr in ihrem Zimmer ein.“
In diesem Augenblick drehten sich alle Gäste zur Terrassentür um, rissen die Münder auf und begannen wild durcheinander zu rufen.
„Ein Feuerwerk! Ein Feuerwerk! Los, alle nach draußen!“
Und bevor Bernd auch nur einen Ton von sich geben konnte, stürmten die Menschen auf die Terrasse, um sich einen guten Platz und eine noch bessere Sicht auf das Geschehen zu sichern.
Er tat es ihnen voller Sorge und Panik gleich, und Tränen der Erleichterung liefen sturzbachartig über seine Wangen, als er die bunten und leuchtenden Raketen sah, die am Waldrand gezündet wurden und in den dunklen, verregneten Himmel schossen, um weit über ihnen leuchtend, glitzernd, lautstark und glühend schön zu explodieren. Isabell, die eine verschlafene und dennoch freudig erregte Mia auf ihrem Arm hielt, trat irgendwann von hinten an Bernd heran, während die Gäste gemeinsam „Happy Birthday“ für ihren Gatten anstimmten.

***

Als seine Beine einknickten und er langsam zu Boden sank, hörte er das Lachen. Auf der nassen Walderde liegend, drehte er den Kopf und betrachtete die seltsame Szenerie am Haus mit einer Mischung aus Verwunderung, Trauer und Wut. Sollte es ihm tatsächlich nach so vielen Jahren nun nicht gelingen, seinen Plan in die Tat umzusetzen? Seine Finger umschlossen beinahe liebkosend das große Messer, und während das letzte bisschen Leben aus seinem Körper schwand, sah er den Verräter, wie er gemeinsam mit seiner Gattin auf der Terrasse stand und lachte. Und er sah das kleine Mädchen auf dem Arm der Frau, das diesem kichernd und überschwänglich gratulierte.

***

Nachdem die Menschen applaudiert hatten und wieder im Trockenen verschwunden waren, löste sich eine dunkle Gestalt aus der Finsternis des Waldrandes und kam langsam auf das Haus zu. Bernd erkannte sie erst, als sie mitten auf dem Rasen stand.
„Achim, du verrückter Knochen!“, rief er überrascht und lief auf seinen Arbeitskollegen zu. „Ich dachte, du hättest heute Abend keine Zeit?“ Der Angesprochene zuckte mit den Schultern und lächelte unschuldig.
„Hatte ich ja auch nicht!“, antwortete er, während er dem Geburtstagskind fröhlich zuzwinkerte.
„Schließlich musste ich auch so einiges organisieren, um bei diesem Scheißwetter ein paar Sonnen für dich scheinen zu lassen. War gar nicht einfach, denn du warst während der letzten Stunden ständig draußen. Ich hoffe, dir hat mein kleines Geschenk gefallen.“
Die beiden Männer umarmten sich.
„Ich danke dir. Aber sag mal“, meinte Bernd, als er sich wieder von Achim gelöst hatte. „Hast du da noch ´ne Rakete in deiner Jacke oder was ist das für ein großes Teil?“
Bernds Kollege grinste, griff in seine Regenjacke und zog ein langes, schmales Päckchen hervor.

„Keine Ahnung, was das ist“, erwiderte er. „Ich habe es zumindest vorhin am Waldrand gefunden, als ich das Feuerwerk gezündet habe. Da scheint sich wohl irgendjemand nicht getraut zu haben, zu dir ins Haus zu kommen.“
Bernd nahm das in Geschenkpapier eingewickelte Päckchen verwundert an sich, und noch bevor er es ausgepackt und den handgeschriebenen Brief, der um den Gegenstand gewickelt war, gelesen hatte, wusste er, was er da in seinen Händen hielt.

***

Das vibrierende Handy riss ihn brutal aus dem Schlaf. Der alte Mann richtete sich benommen auf, strich sich über den tätowierten Kopf und griff schließlich nach dem illegalen Telefon, das er während der langen Gefängnisnächte immer unter seinem Kopfkissen versteckte.
„Ja?“
„Hey, Partner! Gut geschlafen?“ Der Alte schnaufte, während die Bilder seines Traumes noch immer außergewöhnlich real und wuchtig in ihm rumorten und nachwirkten.
„Geht so. Alles erledigt?“
„Hey, Partner!“, ertönte die Stimme aus dem kleinen Gerät. „Ich bin Profi.“
„Klar!“, frotzelte der Alte. „Du bist Profi. Los, erzähl!“
„Also, das Messer ist der Wahnsinn“, begann der Andere seinen Bericht. „Aber das weißt du ja. Und die Adresse hat auch gestimmt. Der Hacker, den ich da vor ein paar Jahren an Land gezogen habe, knackt echt jedes Sicherheitssystem.“

„Und du hast ihm das Messer und den Brief vor die Terrassentür gelegt?“
Der Andere räusperte sich verlegen.
„Nicht ganz. Aber ich bin mir sicher, dass er es trotzdem bekommen hat.“
Der Alte richtete sich in seiner Zelle noch ein wenig mehr auf und vergaß bei den folgenden Worten beinahe, dass er eigentlich um diese Uhrzeit nur flüstern durfte.
„Wie bitte?“
„Na, ich hatte mich etwas verspätet und kam erst um kurz vor Mitternacht beim Haus an. Und da war so ein Kerl im Garten, der zig Silvesterraketen in Weinflaschen gesteckt hat. Ich sag dir, der hat da ein richtig professionelles Feuerwerk abgezogen.“
Der Mann spürte, wie sich sein Herzschlag beschleunigte.
„Und anschließend?“
„Habe ich das Päckchen und den Brief in einem günstigen Moment direkt neben eine dieser Flaschen gelegt. Das kann der Typ gar nicht übersehen haben.“
Der Tätowierte musste tief durchatmen, um nicht die Fassung zu verlieren.
„Du hast also nicht gesehen, dass er das Päckchen bekommen hat?“
„Was hätte ich denn machen sollen?“ Die Stimme des Anderen klang nun verzweifelt. „Ich durfte das Risiko doch nicht eingehen, dass ich entdeckt werde. Aber dieser Feuerwerksmensch hat das Messer und den Brief garantiert gefunden und dem Typen gegeben.“
„Du hast das Feuerwerk also nicht abgewartet?“
„Bist du wahnsinnig, Werner? Ich weiß doch, was dabei für ein Radau entsteht. Stell dir doch nur mal vor, irgendein nicht eingeladener Nachbar hätte bei dem Krach die

Polizei gerufen, um sich zu beschweren. Und die wären dann gekommen – und ich da als gesuchter Verbrecher mit `nem Bowiemesser in der Hand am Waldrand. Die hätten mich doch sofort hopsgenommen. Aber glaube mir, der Kerl hat das Teil gefunden."
Der Alte ließ sich zurück in seine Kissen sinken.
„Wenn du es sagst."
„Also ist alles gut zwischen uns?", wollte der Anrufer wissen.
„Alles gut. Aber eines noch."
„Ja?"
„Hast du irgendwann ein kleines Mädchen beim Haus gesehen? Ein Mädchen, das vielleicht die Tochter dieses Kerls gewesen sein könnte?" Der Mann am Ende der Leitung zögerte einen Moment.
„Nein, habe ich nicht. Wieso? Ist das wichtig?" Der Alte atmete hörbar aus und senkte den Kopf.
„Vergiss es!" Es entstand eine etwas längere Pause, ehe der Anrufer sagte:
„Aber eine Sache verstehe ich immer noch nicht."
„Schieß los!", knurrte der Häftling schwerfällig.
„Warum hast du dem Kerl das Messer und den Brief eigentlich nicht selbst gebracht, wenn dir die Angelegenheit so wichtig ist?" Der Alte schloss die Augen, während die Bilder der kleinen, glücklichen Familie aus dem Traum wieder vor seinem Geist zu tanzen begannen.
„Weil ich erst in vier Tagen hier rauskomme und der Typ nun einmal heute Geburtstag hat."

***

Ich wünsche alles Gute zum Ehrentag und hoffe, dass mein Geschenk noch rechtzeitig ankam. Es ist ein gutes Messer. Es ist sogar noch eine Spur besser als das, was mich vor mehr als acht Jahren verraten hat, nachdem ich es, nach dem viel zu frühen, furchtbaren und schnellen Krebstod meiner Frau, dem einzigen Menschen stahl, der mir noch etwas bedeutet hat. Und dass ich es anschließend bei dem Überfall benutzte, war leichtsinnig und töricht. Aber ich stand zu der Zeit komplett neben mir. Ich war permanent betrunken, hasste die Welt und verlor selbst den Blick für die Menschen, die ich liebte. Doch ich will mich nicht herausreden. Ich bin schuldig und werde es immer sein, auch wenn ich in ein paar Tagen das Gefängnis verlasse. Dass dieses so besondere Messer im Fernsehen und in der Zeitung erkannt und die Polizei eingeschaltet wurde, ist nur mehr als gerecht – wahrscheinlich hat es mir sogar das Leben gerettet.
Die Sache mit der Puppe tut mir leid. Ich hatte die Wut auf die Welt noch nicht verarbeitet und wusste nicht, was ich tat. Das ist heute anders. Wenn ich nun bald wieder in Freiheit sein werde, muss kein Mensch jemals mehr Angst vor mir haben. Ich entschuldige mich dafür, dass ich diese erbärmlichen Drohungen vor Gericht ausgesprochen habe. Ich werde keine davon in die Tat umsetzen, und ich werde auch niemals mehr von mir hören lassen. Ich weiß, was ich angerichtet habe.
Mir ist bewusst, dass ich kein Mensch bin, den man lieben kann. Aber vielleicht werde ich zumindest eines fernen Tages wieder ein Mensch sein, dem man verzeihen kann. Pass auf dich auf. Dein Vater

Bernd faltete den Brief ruhig zusammen und betrachtete das große Messer auf dem Gartentisch, während hinter ihm im Haus die Party im vollen Gange war. Es war wirklich wunderschön. Und es sah fast so aus wie das Exemplar, welches er von seinen Eltern zu seinem 30. Geburtstag bekommen hatte. Zu einer Zeit, in der alles noch völlig anders gewesen war. Zu einer Zeit, in der seine Mutter noch gelebt hatte, um die ganze Familie zusammenzuhalten. Er nahm es in die Hand, betrachtete es von allen Seiten, hielt es in das kaum wahrnehmbare Licht des Mondes und roch sogar daran. Und dann wickelte er das Messer zusammen mit dem Brief wieder in das Geschenkpapier, ging durch den Regen um das Haus herum zur Garage, betrat sie und versteckte das längliche Päckchen irgendwo zwischen den aufgestapelten Scheiten des Brennholzstapels.

Vielleicht würde er das Messer tatsächlich irgendwann mal wieder hervorholen und betrachten.
Es vielleicht irgendwann sogar mal benutzen und anschließend mit ins Haus nehmen.

Vielleicht irgendwann mal.
Vielleicht!

Der alte Weihnachtsbaumständer

Beim Aufräumen des Dachbodens, es war ein paar Wochen vor Weihnachten, entdeckte der mittelalte Familienvater in einer Ecke ganz zufällig einen verstaubten, hässlichen und uralten Weihnachtsbaumständer.
Aber es war ein ganz besonderer Ständer mit einem außergewöhnlichen Drehmechanismus und einer eingebauten Spielwalze. Beim vorsichtigen Drehen konnte man das Lied "O du fröhliche" hören, und das, während sich der komplette Christbaum bewegte.
Oh, mein Gott!
Das musste der Christbaumständer sein, von dem Großmutter immer mit feuchten Augen erzählte, wenn die Weihnachtszeit herankam. Der faszinierende, sich selbst drehende Christbaumständer, den der Großvater, er war einst Uhrmachermeister, vor mehr als 50 Jahren selbst gebaut hatte.
Das Ding sah zwar fürchterlich aus, doch dennoch kam dem Familienvater ein wunderbarer Gedanke. Wie würde sich die Großmutter freuen, wenn sie am Heiligen Abend vor dem Baum sitzen würde, dieser sich auf einmal wie in vergangenen Zeiten zu drehen begänne und dazu "O du fröhliche" spielen würde. Nicht nur Großmutter, nein, die ganze Familie würde staunen.

So nahm er also den alten Ständer und schlich ungesehen in seinen Bastelraum hinter der Garage. Jeden Abend zog er sich nun heiter und aufgeregt in seine Werkstatt zurück, verriegelte die Tür und arbeitete an seinem großen, geheimen Projekt.

Eine gründliche Reinigung, ein wenig Farbe, ein paar Schrauben und eine neue Feder, dann sollte der Ständer ja wohl wie neu sein, oder nicht?

Natürlich fragte ihn die Familie oft, was er dort in der Werkstatt denn so treiben würde, und er antwortete jedes Mal nur:
"Das wird eine ganz besondere Weihnachtsüberraschung, und mehr verrate ich nicht."

Kurz vor dem großen Fest sah der Weihnachtsbaumständer schließlich wieder aus wie neu. Jetzt noch schnell einen prächtigen, zwei Meter dreißig hohen Weihnachtsbaum besorgt, und wieder verschwand der Vater eifrig und aufgeregt in seinem Hobbyraum. Er stellte den Baum in den Ständer, schwitzte dabei wie ein Pavian in einer finnischen Sauna und führte einen Probelauf durch.
Und siehe da! Der Baum drehte sich. Langsam, majestätisch und würdevoll. Der Baum wirkte so, als sei er selber ein wenig stolz auf sich.
Und auch die Musik erklang zart und gut hörbar. Und dabei war sie sogar lauter als wenn eine normale Spieluhr laufen würde.

Alles bestens, dachte der Mann. Was würde Großmutter für Augen machen.

***

Nun war es endlich Heiligabend.
Der Vater bestand darauf, den Weihnachtsbaum alleine zu schmücken. Er hatte sogar echte Wachskerzen besorgt, damit alles stimmte. Und obwohl er ein großer Fan von

Greta Thunberg war, dieser schwedischen jugendlichen Umweltaktivistin, bestellte er sich aus China auch noch total umweltfreundliches Lametta aus Stanniol und Blei, Made in Thailand, damit der Baum genauso aussah wie früher, als Großmutter noch jung und sportlich gewesen war und als man nicht nur kiloweise Lametta an die Weihnachtsbäume gehängt, sondern diese auch noch mit dem schädlichen Zeug nach den Festtagen irgendwo im Wald entsorgt hatte.
Ja, ja. Gute alte Zeit. Damals war die Welt noch in Ordnung.

"Die werden Augen machen", sagte er bei jeder mundgeblasenen Glaskristallkugel, die er in den Baum hängte. „Das wird das schönste Weihnachtsfest aller Zeiten."

Als er fertig war, überprüfte er noch einmal alles. Der Stern von Bethlehem mit seinen LED-Lämpchen prangte oben auf der Spitze, die Kugeln waren angebracht, Naschwerk und Wunderkerzen hingen hübsch angeordnet an den Ästen, und Engelshaar und silbernes Lametta gaben dem Kunstwerk einen ganz besonderen Charme.

Das übrige Wohnzimmer war ebenfalls feierlich dekoriert und hergerichtet. Überall standen Kerzen, Gestecke und Plätzchenteller. Eine 25 Meter lange Lichterkette lief mehrfach kreuz und quer unter der Zimmerdecke entlang, und an den Fenstern hingen Sterne aus ökologisch wertvollen, benutzten Butterbrottüten. In der Luft lag ein Duft aus Zimt und sonstigen weihnachtlich anmutenden Gewürzen, die Geschenke lagen unter dem Baum, und in einer Ecke war ein kaltes Buffet auf einem besonders schön wackeligen Tapeziertisch aufgebaut worden.

Für die Großmutter stellte er den großen ledernen Ohrensessel bereit. Den, in dem der Großvater immer gesessen hatte, um die Weihnachtsgeschichte vorzulesen und in dem er immer so laut geschnarcht hatte, dass die ganze Nachbarschaft dachte, ein entlaufender Grizzlybär würde knurrend und brummend durch die Straßen wandern. Die anderen Stühle stellte der Mittelalte in einem Halbkreis vor den Tannenbaum.
Und endlich führte der Vater die Großmutter feierlich zu ihrem Platz, die Eltern setzten sich neben sie, und ganz außen saßen die beiden Kinder, deren Wangen vor Aufregung rot glühten.
Dann stellte sich der Vater vor sein gespanntes Publikum, breitete die Arme auseinander und fühlte sich ein wenig wie ein Showmaster in einer Samstagabend-Fernseh-Show.
"Meine sehr geehrten Damen und Herren. Liebe Lieben! Jetzt kommt die große Weihnachtsüberraschung", sprach er stolz und überschwänglich, löste die mechanische Sperre am Christbaumständer und nahm ganz schnell und hurtig wieder Platz.
Langsam begann sich der Weihnachtsbaum wie durch ein Wunder, oder wie von Geisterhand bewegt, zu drehen, und hell erklang, von der Musikwalze erzeugt, das Lied "O du fröhliche".

War das eine Freude! Die Kinder klatschten begeistert in die Hände, und Oma hatte vor Rührung Tränen in den Augen. Sie flüsterte immer wieder nur:
"Wenn Großvater das noch erleben könnte. Dass ich das noch erleben darf!"
Mutter war stumm vor Staunen und knetete liebevoll die Hand des Vaters. Eine Weile schaute die Familie entzückt

und stumm auf den sich im Festgewand drehenden Weihnachtsbaum, ... als ein schnarrendes Geräusch sie jäh aus ihrer Versunkenheit riss.
Ein Zittern durchlief den Baum, und die bunten Weihnachtskugeln klirrten wie kleine Glöckchen. Und nun begann der Baum, sich immer schneller zu drehen. Die Musikwalze hämmerte los. Es hörte sich an, als wollte "O du fröhliche" sich selbst überholen.
Es dauerte nicht lange, da klang das alte, heimelige Lied wie ein Techno-Song in der Disco.
Mutter ließ erschrocken die Hand des Vaters los und schrie laut: "So unternimm doch was, Hubert Egon Anton!“
Vater (Hubert Egon Anton) saß jedoch wie versteinert auf seinem Stuhl und starrte wie in Trance auf den verrücktgewordenen Baum, der seine Geschwindigkeit von Runde zu Runde immer weiter steigerte.

Mittlerweile drehte dieser sich so schnell, dass die Flammen hinter ihren Kerzen wehten und einige bereits erloschen waren. Zudem spritzte das heiße und flüssige Wachs der Kerzen überall im Wohnzimmer herum.
Großmutter bekreuzigte sich, fing an zu zittern und betete ein stilles Vaterunser. Und sie murmelte:
"Wenn das der Großvater noch erlebt hätte."

Als Nächstes löste sich der beleuchtete Stern von Bethlehem, sauste wie ein fehlgeleiteter Komet oder wie ein Raumschiff durch das Wohnzimmer, klatschte und krachte gegen den Türrahmen und fiel auf den Dackel, der dort gerade ein Weihnachts-Nickerchen hielt.
Der Vierbeiner flitzte wie von der Tarantel gestochen in die Küche, kroch in einen offenstehenden Unterschrank,

verbiss sich in einigen Tüten Mehl und Zucker und tat das, was Hunde halt so tun, wenn sie aufgeregt und ängstlich sind und zufällig einige Tüten Mehl und Zucker finden.
Bereits nach wenigen Sekunden sah der ursprünglich rotbraune Dackel aus wie ein wahnsinniges Eisbärenjunges, und in der Küche schwebten überall weiße Mehl- und Staubwolken auf die Schränke, Armaturen und Arbeitsflächen. Es sah fast so aus, als würde es schneien, was die ganze Szene schon wieder irgendwie gemütlich und weihnachtlich wirken ließ.

Lametta und Engelshaar hatten sich im Wohnzimmer inzwischen erhoben und schwebten, wie die Sitze eines Kettenkarussells, am Weihnachtsbaum. Das Wachs spritzte noch immer umher und landete an Wänden, Bildern, auf der Brille der Großmutter und im Kartoffelsalat.
Vater erwachte endlich aus seiner Starre und gab das Kommando:
"Alles in Deckung!"

Die Kinder hatten hinter Großmutters Sessel Schutz gefunden. Vater und Mutter lagen flach auf dem Bauch, die Köpfe mit den Armen schützend. Mutter jammerte dabei verzweifelt in den Teppich:
"Alles umsonst, die viele Arbeit, alles umsonst!"
Vater wollte sich vor Peinlichkeit am liebsten unter dem Teppich verstecken, und wäre dieser nicht verklebt gewesen, hätte er es sicherlich auch versucht.
Großmutter saß immer noch auf ihrem Logenplatz, wie erstarrt, von oben bis unten mit Wachs und Lametta geschmückt.
“Wenn Großvater das noch erlebt hätte!”

Und plötzlich kam, was kommen musste.
Ich sage nur, Brummkreisel.
Wer jemals einen Brummkreisel, ich gebe zu, dass dieses Spielzeug heute nicht mehr sehr bekannt ist, benutzt hat, weiß, was ich meine.
Wenn man einen dieser großen, nostalgischen und altertümlichen, zumeist aus Blech gefertigten, Brummkreisel betätigte und mit einem Stab in der Mitte durch das Aufziehen zum Drehen brachte, geschah es nämlich nicht nur, dass der Kreisel anfing sich zu drehen und zu brummen, sondern er fing auch an, sich selbstständig, durch den eigenen Schwung motiviert, über den Fußboden zu bewegen. Der Kreisel wanderte also durchs Zimmer, während er sich permanent drehte.

Und eben das geschah nun mit dem Christbaumständer und dem Weihnachtsbaum. Das riesige Weihnachtskunstwerk begann plötzlich, sich rotierend und drehend durchs Wohnzimmer zu bewegen. Von einer Seite zur anderen, von einer Ecke zur anderen. Wenn der Baum irgendwo anstieß, änderte er automatisch die Richtung. So wie ein Staubsaugerroboter oder wie einer dieser neuen Rasenmäher, die von alleine durch den Garten düsen.
Zu allem Getöse und Gedöns jaulte die Musikwalze "O du fröhliche“, bis mit einem ächzenden Ton der Ständer endlich seinen Geist aufgab und aufhörte, sich zu drehen. Durch das plötzliche Anhalten verunsichert neigte sich der Christbaum in Zeitlupe und fiel langsam, gaaanz langsam, zur Seite – und zwar genau aufs kalte Buffet. Der riesige Baum riss den Tapeziertisch um, sodass sich Fleischplatten, Saucen, Melonenstücke, Kartoffelsalat, Würstchen, Brot und sämtliche Getränke auf dem Fußboden verteilten.

Irgendwo zischte eine erlöschende Kerze. Woanders qualmte und rauchte es ein wenig. Dort versickerte Ketchup im Teppich, und da lag ein Stück von der kalten Weihnachtsgans neben einer Christbaumkugel und einem Brühwürstchen.

Ansonsten … Totenstille!

Und in diesem Augenblick fegte plötzlich ein kleiner Eisbär ins Wohnzimmer hinein, eine weiße Mehlwolke hinter sich herziehend. Der kleine Dackel bellte und kläffte fürchterlich, rannte zum umgestürzten kalten Buffet, schnappte sich eine Wurst und begann damit, diese viel zu schnell und viel zu hastig hinunterzuschlingen. Und als er mit der Brühwurst fertig war, gönnte er sich gleich noch eine und noch eine und noch eine.

Großmutter erhob sich schweigend und mit zittrigen Beinen. Kopfschüttelnd begab sie sich, eine Lamettagirlande wie eine Schleppe tragend, aus dem Raum. In der Tür stehend, sagte sie nochmals:
"Wenn Großvater das erlebt hätte!"

Die Mutter meinte völlig aufgelöst und mit ironischem Unterton zum Vater:
"Wenn ich mir die Bescherung so ansehe, ist deine große Überraschung wirklich gelungen." Das kleinste der beiden Kinder gluckste indes nur:
"Du, Papi, das war echt stark! Machen wir das jetzt Weihnachten immer so?"
Der Vater blickte sich im Wohnzimmer um, während hier und da noch immer Mehl zu Boden schwebte und der weiße Dackel seine viel zu schnell verschlungenen

Würstchen in die alte Weihnachtskrippe brach. Und das, was er sah, war das totale, absolute und völlige Chaos.
„Ob wir das jetzt jedes Jahr so machen? Hm, ich glaube, das muss ich mir noch einmal durch den Kopf gehen lassen.“
In diesem Augenblick kam die Großmutter zurück ins Wohnzimmer. Sie schlurfte langsam und mit feuchten Augen durch den völlig zerstörten Raum und ließ sich erneut auf dem alten Ledersessel nieder. Dann strich sie gedankenverloren und schweigend über die abgenutzten Armlehnen.
Eine einsame Träne lief ihr übers Gesicht.
Irgendwann hob sie ihren Kopf und betrachtete zunächst das hoffnungslose Schlachtfeld im Raum und dann nacheinander die Eltern, die Kinder und schließlich den noch immer spuckenden Hund.

Und endlich sprach sie:
„Wisst ihr, es war vor 51 Jahren.“ Sie tupfte sich die Augen mit einem Taschentuch ab.
„Großvater und ich waren gerade zwei Jahre verheiratet. Wir hatten natürlich noch keine Kinder, und wir beschlossen, uns zu Weihnachten etwas ganz Besonderes zu schenken. Etwas wirklich Besonderes. Aber es durfte nichts Gekauftes sein, das war die Bedingung. Denn wir hatten nicht viel Geld. Ich blätterte also die Zeitungen durch, damals gab es ja noch kein Internet, und fand eine Annonce, in der jemand einen alten Ledersessel eintauschen wollte. Und zwar für zwanzig Gläser eingekochte Pflaumen.“

Sie strich erneut zärtlich über das Leder des Sessels und lächelte.

„Ich wusste, dass sich Großvater immer einen solchen Sessel gewünscht hatte und rief direkt an. Der Sessel war noch zu haben, und ich begann am selben Abend damit, Pflaumen in Einmachgläser einzukochen. Drei Tage später lieh ich mir ein Auto, packte die Pflaumengläser ein und tauschte sie gegen diesen Sessel hier. Den Sessel versteckte ich anschließend unten im Keller, während Großvater auf der Arbeit war."

Der Vater, die Mutter und die Kinder kamen zur Großmutter und setzten sich vor sie auf den Boden. Nur der Hund kotzte weiter in die Krippe und auf das unschuldige Jesuskind und ließ sich nicht stören.

Die Großmutter erzählte weiter:
„Das mit dem Sessel war natürlich ein Glücksfall. Der Mann, dem er ursprünglich gehörte, hatte ihn von seiner Mutter geerbt, hatte aber keinen Platz in seiner Wohnung. Aber er wollte ihn nicht einfach so verkaufen. Das brachte er nicht übers Herz. Und da seine Mutter immer so gerne selbst eingemachte Pflaumen gegessen hatte, kam er auf die Idee, den Sessel genau an die Person zu verschenken, die bereit und in der Lage wäre, ihm diese Pflaumen zu machen. So wusste er, dass der Sessel in gute und verantwortungsbewusste Hände kam. Heutzutage würde man sagen, dass das Ganze eine Win-win-Situation war."
Die Großmutter räusperte sich.

„Mein Mann, also Großvater, hatte sich ebenfalls etwas Besonderes für mich ausgedacht."

Sie drehte den Kopf und betrachtete den umgestürzten Weihnachtbaum, der noch immer auf dem Boden lag – zwischen Braten, Saucen, Würstchen und Kartoffelsalat.
„Er war ja Uhrmacher. Er kannte sich also aus mit Zahnrädern, Schrauben, Zeigern und allen Dingen, die sich drehten und bewegten. Er nahm unseren alten Christbaumständer und schraubte, bastelte und werkelte wochenlang an ihm herum. Und irgendwann war er fertig. An Heiligabend stellte er ihn im Wohnzimmer auf, und ich hatte keine Ahnung, was mich erwartete."

Die alte Dame blickte in die Runde.

„Und wisst ihr was? Als ich den sich drehenden Weihnachtsbaum gesehen habe und Großvater und ich gemeinsam hier in diesem riesigen Ohren-Ledersessel saßen, war ich so glücklich wie noch nie zuvor in meinem Leben."

Der Vater stand auf und ergriff eine Hand der Großmutter.
„Es tut mir so leid, dass ich dir den Abend zerstört habe."
Doch die Oma lächelte nur.
„Hast du nicht, mein Lieber. Hast du nicht."
Jetzt verstand der Vater gar nichts mehr.
„Was meinst du?"
Das Lächeln der Großmutter wurde nun noch breiter, noch intensiver.
„Na, ist doch klar! Wenige Augenblicke nachdem sich der Weihnachtsbaum zu drehen begonnen hatte und wir glücklich in unserem Sessel saßen, wurde das olle Ding immer schneller und schneller. Die Musik hörte sich an wie heute Abend, und irgendwann begann der Baum, sich

eigenständig durch diesen Raum hier zu bewegen. Natürlich nachdem sich alle Kugeln, sämtliches Lametta und die Kerzen in alle Himmelsrichtungen verstreut hatten. Ich schwöre es euch! Es war genauso wie vorhin, nur dass wir nicht so viele verschiedene Speisen auf dem Buffettisch hatten."

Stille!
Nur die Geräusche des reihernden Dackels waren noch zu hören.

„Na gut", grinste die alte Dame. „Einen Hund hatten wir damals natürlich auch nicht. Egal! Zumindest haben wir anschließend das ganze Chaos beseitigt, den Baum wieder aufgestellt und hier in diesem Sessel den vom Boden geschabten Kartoffelsalat und kalte Würstchen gegessen. Und wir haben die ganze Zeit über gelacht, gelacht und gelacht. Und ich schwöre euch zwei Dinge: Wir haben den drehbaren Christbaumständer nie wieder benutzt. Und zugleich war es der glücklichste und schönste Heilige Abend, den ich jemals alleine mit Großvater erleben durfte."

Großmutter streckte sich in dem alten Sessel und fing an zu kichern. Dann steckte sie das Tuch, mit dem sie sich zuvor noch die Tränen abgetrocknet hatte, in die Tasche und sagte fröhlich:
„Und jetzt lasst uns endlich aufräumen! Und anschließend wird gegessen! Natürlich nur, wenn uns der Hund noch etwas übrig gelassen hat."

Nach weiteren zehn Sekunden voller andächtiger und ungläubiger Stille stand Großmutter schließlich lachend auf. Sie erhob sich elegant, geschmeidig und rasch aus ihrem alten ledernen Ohrensessel, und sie wirkte dabei fast wie eine junge Frau.

„Und danach feiern wir das allerallerschönste Weihnachtsfest unseres Lebens.“

Der Eiswagen

Ich kann mich noch genau an den Tag erinnern, an dem ich mir mein erstes Waffeleis an einem Eiswagen kaufte. Und das, obwohl es bereits 35 Jahre her ist.
1985 war ich 12 Jahre alt, lebte mit meinen Eltern in Haltern, einem kleinen Nest am Rande des Ruhrgebiets, und hatte noch niemals zuvor so einen bunten, klingelnden, verheißungsvollen Wagen gesehen.

Mein Vater war damals Steiger auf der Zeche "Constantin der Große" in Herne. Ich weiß noch, wie stolz ich auf ihn war. Schließlich hatte er im Bergbau eine wichtige Position unter Tage. Wie glücklich wir immer waren, wenn Grönemeyers "Bochum" im Radio lief. Oder wenn wir auf Geburtstagen im Pott, in viel zu kleinen, überhitzten Zechenhäusern, gemeinsam das Bergarbeiterlied "Glück auf, Glück auf, der Steiger kommt" gesungen haben.

An diesem besagten Tag waren wir auf Klassenfahrt. Es ging nach Bochum ins Deutsche Bergbaumuseum. Natürlich war ich mit Vater schon oft dort gewesen. Ich wusste alles über die Stollentiefen, die Loren, den Abbau, die Gesteinsschichten und die Arbeit vor Ort. Wahrscheinlich wusste ich sogar mehr als dieser irgendwie nervös wirkende Junge, der uns durch die unterirdischen Gänge führte und in die Aufzüge lotste.

Nach der Führung spazierte die Klasse noch in die Innenstadt. Wir setzten uns auf die Stufen eines Brunnens, aßen Butterbrote und tranken Saft aus bedruckten Trink-

flaschen. Die Sonne schien, es war sehr warm. Mein Lehrer saß neben mir und sah mich an.
"Du weißt aber viel über den Bergbau."
Ich nickte stolz.
"Mein Vater ist ja auch Steiger."
Das Gefühl, das meinen Bauch durchströmte, werde ich niemals vergessen.

Dann kam plötzlich dieser bunte Wagen auf den Marktplatz geknattert.
Ich hatte so ein Auto noch nie gesehen, doch einige meiner Klassenkameraden wussten, was dieses seltsame Gefährt für Köstlichkeiten für uns Kinder bereithielt.
"Leute!", rief mein Freund Tom aufgeregt. "Kramt eure letzten Pfennige hervor. Der Eismann ist da!"

Wir stellten uns brav in die Schlange. Ich hatte noch eine Mark in meiner Hosentasche gefunden, und ich wusste inzwischen, dass das Geld für drei Kugeln Eis reichen würde.
Schokolade, Erdbeere und Vanille.
Meine Lieblingssorten.
Es war definitiv der beste Tag meines Lebens.
Die Klassenfahrt, das Museum, das Wetter und jetzt auch noch ein Waffeleis.

Wir waren fast an der Reihe, und auf einmal spürte ich, wie mein Freund Tom vor mir nervös wurde.
"Hey Kumpel, sagtest du nicht, dein Vater wäre Steiger im Bergbau?"
Ich verstand kein Wort. Doch nach einem Blick auf den Eisverkäufer war mir alles klar. Die Streitigkeiten der

letzten Wochen, die Spannungen zwischen meinen Eltern, die Traurigkeit meines Vaters.

"Ich hätte gerne Schokolade, Erdbeere und Vanille", flüsterte ich.
Der Eisverkäufer sah mich schweigend an.
In seinen Augen schimmerten Tränen.
Tränen des Schmerzes, der Scham, der Erniedrigung.

Doch er machte seinen Job.
Seinen verdammten Job.
Schließlich musste er eine Familie ernähren.

"90 Pfennig!"
Ich reichte ihm das Markstück. Er gab mir mein Eis und die 10 Pfennige zurück.
Ich schluckte, sah mich kurz um und lächelte.

"Danke, Papa! Ich bin unglaublich stolz auf dich. Und ich liebe dich und Mama über alles. Daran wird sich niemals etwas ändern. Das schwöre ich dir."

Ich habe meinen Schwur nie gebrochen.

Und ich habe nicht vor, es jemals zu tun.

Nachwort

Zunächst einmal möchte ich mich aufrichtig bei Ihnen dafür bedanken, dass Sie sich für meine *unendlichen, niemals endenden* Geschichten interessiert haben.

In Anbetracht der Tatsache, dass jährlich offiziell über 70.000 neue Bücher in Deutschland erscheinen, grenzt es fast schon an ein kleines Wunder, dass Sie nun ausgerechnet mein kleines Büchlein in den Händen halten.

Im Jahre 2016 veröffentlichte ich mit „Ending Stories", nach vier humorvollen Tragikomödien, meinen ersten Kurzgeschichten-Band, in dem ich die besten und intensivsten Stories zusammengefasst habe, die ich in den 25 Jahren zuvor geschrieben hatte.
Das vorliegende Buch beinhaltet nun einen Teil der Geschichten, die ich während der letzten fünf Jahre verfasst habe.
Und wieder sind es Geschichten und Texte, die allesamt eine besondere Bedeutung für mich haben. Geschichten und Texte, mit denen ich komplett unterschiedliche Erlebnisse, Erinnerungen, Orte und vor allem Zeiten verbinde.
Zeiten des Glücks, des Unglücks, der Dunkelheit und des absoluten Lichts. Vielleicht ist es mir deshalb auch so wichtig, dass, im Gegensatz zu „Ending Stories", dieses Mal auch einige Geschichten und Texte ins Buch gekommen sind, die auf den ersten Blick scheinbar so gar nicht in diese Sammlung gehören und teilweise eher mit einem Augenzwinkern betrachtet werden sollten.
Aber meine Bücher waren und sind immer ein individuelles Abbild meines Lebens, und vielleicht ist das auch

der Grund dafür, dass unter den zahlreichen ernsten Short-Stories diesmal auch humorvolle Texte und sogar Gedichte zu finden sind.

Zu Beginn dieses Buches habe ich den amerikanischen Dichter und Pulitzer-Preisträger Robert Frost zitiert, der mit einfachen aber treffenden Worten ausgedrückt hat, dass der Leser nur Tränen, Freude, Trauer und Überraschungen erleben und fühlen kann, wenn es der Autor zuvor beim Denken und Schreiben ebenso erlebt und gefühlt hat.
Ich kann Ihnen versichern, dass das bei mir der Fall gewesen ist. Ich würde mich glücklich schätzen, wenn der eine oder andere Text bei Ihnen ebensolche Gefühle ausgelöst hat.

Schreiben ist zuweilen ein einsames Handwerk, eine einsame Tätigkeit. Ein Buch zu veröffentlichen hingegen nicht. Und deshalb danke ich im Folgenden den Menschen, ohne die dieses Buch nicht hätte entstehen können.
Ich danke zunächst erneut Bryan Marshall aus Irland für das Coverbild. Er ist nicht nur ein wunderbarer Mensch, sondern zudem auch noch ein ganz außergewöhnlicher Künstler und Kreativgeist. Thank you, you`re the best.
Auch bei diesem Buch hat mir Christian Peitz geholfen, das Cover zu designen und das „Werk“ schließlich in den Buchhandel zu bringen. Christian, ich danke dir sehr dafür, dass du mir auch nach elf Jahren Zusammenarbeit noch die Treue hältst.
Ich danke meinem tollen Korrektur-Team Mechthild Brünen, Manuela Bußkamp und Daniela Kosakowski. Wenn man glaubt, es passiert nichts mehr, kommt von

irgendwo ein Fehler daher. Ihr seid super! Und es kommen hoffentlich noch einige Bücher auf euch zu.

Ich bedanke mich von Herzen bei den folgenden Personen für ihre Freundschaft, ihr Vertrauen und ihr Dasein: Hubi, Nils und Marco. Ihr seid Brüder. Rolf und Daniel Kosakowski, ja, auch ihr seid Brüder – und Freunde. Wenn was ist, bin ich da. Stephan, du wirst mein ewig geliebter Bodyguard sein. René, du weißt, wo du mich findest. Melli, ich danke dir herzlich für jedes Gespräch und für alles. Frank (WinterArt), geschätzter Kollege – auf das, was da noch kommt. Ich freue mich!

Ich bedanke mich bei Elisabeth L., Susi und Frank, bei meinem „Hausfotografen“ Thorsten Huwald, Torsten Sträter, Heinz Rudolf Kunze, Sebastian Fitzek, Oliver Jochmann (We`ll see us), der inspirierenden Community von #wir_schrieben_zuhause auf Instagram, Salome W. und bei meinen beiden allerbesten Freunden Oli und Guido. Es wäre mir eine Ehre, mit euch alt zu werden. Loving you.
Ich bedanke mich beim komplett verrückten und von mir geliebten Chaostisch aus Todtmoos, besonders bei Lucie und meinen Freunden Thomas Christ und Georg (RIP, Bruder, der Platz in meinem Herzen ist dir sicher). Vielleicht habt ihr mir mein Leben gerettet. Und ich verspreche euch: „Willkommen in Moosberg“ ist nicht vom Tisch. Das Buch wird kommen.

Ich bedanke mich von ganzem Herzen bei meinen Eltern. Für mich seid ihr Kämpfer, Krieger und Helden. Und ihr lebt mir vor, dass man niemals aufgeben sollte. Ich liebe euch.

Und ich danke Anke, Ronja und Maja. Ihr seid mein Kern, mein Herz, mein Leben. Ohne euch wäre ich nichts. Ihr kennt sie alle, meine Stärken und meine Schwächen. Danke, dass wir uns gemeinsam auf unserem Weg befinden. Einmal um die Erde – und zurück. In tiefster Liebe und Verbundenheit.

Zum Schluss bedanke ich mich bei den Presse- und Medienvertretern, mit denen ich während der letzten Jahre immer wieder zusammenarbeiten durfte. Sie haben mich mit meinen Geschichten und Büchern nicht nur in Zeitungen und Magazine gebracht, sondern zuweilen auch ins Radio und ins Internet-TV vom WDR.

So, das war`s.

Ich wünsche allen Leserinnen und Lesern, Kritikern und Gefährten das Glück der Erde, viel Gesundheit und Liebe.
Passt auf euch und aufeinander auf.

Bis die Tage … and keep on reading … and writing.

Swen Artmann, Juni 2021

Lightning Source UK Ltd.
Milton Keynes UK
UKHW010749050123
414875UK00004B/335